APPRENTIS VÉTOS TRÈS SPÉCIAUX

L'auteur : Suzanne Selfors a été photographe spécialisée dans les portraits d'enfants, productrice de films, fleuriste bio, et directrice marketing. Aujourd'hui, elle se consacre à l'écriture de romans pour la jeunesse, qui ont toujours ce grain de folie si cher à son auteur préféré, Roald Dahl, et sont publiés, en France, par Le Seuil et Flammarion. Chez Bayard, elle est également l'auteur de *Le jour où j'ai rencontré Cupidon*.

L'illustrateur : Dan Santat vit en Californie avec sa famille, un lapin, un oiseau et un chat. Il est auteur et illustrateur, mais aussi créateur d'une série télé produite par Disney et intitulée *Les remplaçants*.

À tous les yétis, où qu'ils se trouvent.

Ouvrage originellement publié par Little, Brown Books for Young Readers, un département de Hachette Book Group Inc., New York, États-Unis, sous le titre : *The Sasquatch Escape (The Imaginary Veterinary, book 1)*.
© 2013, Suzanne Selfors pour le texte
© 2013, Dan Santat pour les illustrations

© 2015, Bayard Éditions pour la traduction française
18, rue Barbès, 92128 Montrouge Cedex

Dépôt légal : mai 2015
ISBN : 978-2-7470-4838-5
Première édition

Loi n° 49-956 du 16 juillet 1949 sur les publications destinées à la jeunesse.

Suzanne Selfors

APPRENTIS VÉTOS TRÈS SPÉCIAUX

①

ALERTE AU YÉTI !

Illustrations de Dan Santat
Traduit de l'anglais (États-Unis) par Nina Fouilleul

bayard jeunesse

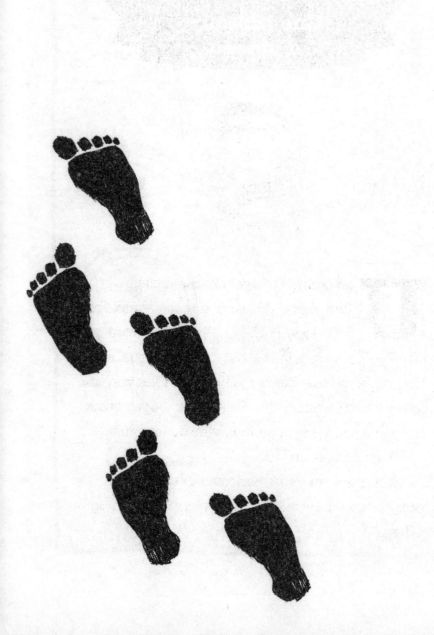

1

Une histoire d'oiseau

Une ombre étrange traversa le ciel.

Ben cligna des yeux une fois, deux fois, trois fois, pour vérifier si ce n'était pas un cil coincé dans son œil. Mais ce n'était pas un cil. Une forme planait bel et bien entre les nuages, une forme avec des ailes immenses et une longue queue. Ben colla son visage contre la vitre de la voiture.

– Papi ? Tu as vu ?

– Ça alors, mais tu parles ! s'écria son grand-père. Je commençais à penser que tu avais perdu ta langue.

Ben Silverstein, dix ans, n'avait pas perdu sa langue. Mais il est vrai qu'il n'avait pas ouvert la bouche depuis que son grand-père était venu le chercher à l'aéroport. Quand il lui avait demandé comment s'était passé son vol, Ben avait haussé les épaules. Quand il lui avait demandé s'il avait faim, le garçon avait hoché la tête. Et quand son grand-père lui avait dit : « Tes parents te manquent, hein ? », il avait détourné le regard. Il n'avait pas prononcé un seul mot. Au bout d'un moment, son grand-père avait cessé de lui parler, et ils avaient roulé en silence sur cette route déserte. Il n'y avait rien eu d'intéressant à regarder : ni maisons, ni stations-service, ni panneaux publicitaires. Seulement des arbres. Des arbres et encore des arbres.

Jusqu'à ce que cette silhouette apparaisse dans le ciel, se mette à décrire des mouvements circulaires et à descendre en piqué, comme un cerf-volant ballotté par le vent.

– Je n'ai jamais vu un oiseau aussi grand ! Et sa queue était aussi grosse qu'une corde !

Papi Isaac ralentit, puis gara la voiture sur la bande d'arrêt d'urgence.

– D'accord, d'accord... Bon, il est où, cet oiseau ?

– Il a plongé derrière ce nuage, répondit Ben.

Ils attendirent quelques minutes, mais l'oiseau ne se montra pas. Le nuage moutonneux passa, sans rien révéler d'autre que le ciel du crépuscule.

– Il était grand comment ?

– Très grand. De la taille... d'un hélicoptère, peut-être ? fit Ben, hésitant.

– Aussi grand qu'un hélicoptère ? Avec une queue grosse comme une corde ?

– Oui.

– Hum... Ça paraît bizarre, déclara Papi Isaac en grattant l'un de ses épais sourcils gris. Je n'ai jamais rien vu de tel.

– Eh bien, moi, je l'ai vu.

Ils patientèrent encore une minute. Rien n'apparut derrière le nuage.

– Cet oiseau-hélicoptère ne serait-il pas une de tes inventions ? demanda Papi Isaac d'un air soupçonneux.

– Qu'est-ce que tu veux dire ?

– D'après ta mère, tu inventes des histoires.

– Je ne vois pas de quoi tu parles, grommela le garçon.

En fait, il savait très bien de quoi il s'agissait. Le matin même, il avait raconté à ses parents que quelqu'un avait appelé à la maison : son vol était annulé, car le pilote avait perdu les clés de l'avion. Ensuite, Ben avait prétendu que sa valise avait disparu, et qu'il ne pouvait donc pas partir en voyage. Aucun de ces stratagèmes n'avait fonctionné. Ses parents n'avaient pas changé leurs plans, et le garçon avait dû partir.

De temps en temps, les histoires de Ben lui étaient bien utiles, comme cette fois où il avait affirmé qu'un condor de Californie lui avait arraché des mains son devoir de maths. En vérité, il avait juste oublié de le terminer. Quand son professeur lui avait signalé que les condors de Californie ne faisaient pas ce genre de choses, Ben avait changé le condor en pélican. Les pélicans étant des casse-pieds notoires, le prof lui avait accordé une semaine supplémentaire pour finir son travail.

Mais surtout, Ben trouvait les histoires bien plus excitantes que la réalité.

Papi Isaac soupira.

– J'aimerais vivre assez longtemps pour voir un oiseau de la taille d'un hélicoptère.

Il posa ses mains ridées sur le volant et regagna la route.

Ben s'enfonça dans son siège et serra la cage de son hamster contre sa poitrine. Ce dernier, un hamster chinois rayé nommé Flemmard, était roulé en boule sous un tas de journaux mâchouillés. Le tas montait et descendait au rythme de la respiration du rongeur endormi. À ce moment précis, Ben aurait aimé être un hamster. La vie était certainement plus facile quand le monde entier se résumait à un simple rectangle de plastique. Peu importait que le rectangle se trouve sur un rebord de fenêtre à Los Angeles ou à l'arrière d'une vieille Cadillac au milieu de nulle part. Le monde à l'intérieur du rectangle était toujours le même : il y avait des machins à mordre, de quoi boire et manger, et une roue pour trottiner. Pas de soucis, pas de problèmes, pas de changements.

– Mon petit-fils et son imagination débordante...,
murmura Papi Isaac.

– Ce n'étaient pas des histoires ! protesta Ben.
Cet oiseau existe vraiment !

2

Bienvenue à Boutonville

— **O**n est arrivés ! annonça Papi Isaac en quittant la voie rapide.

Un large panneau sur le bord de la route clamait :

La Cadillac s'engagea dans la Grand-Rue.

Le ciel était déjà sombre, mais, à chaque coin de rue, des lampadaires éclairaient la bourgade de leur lumière crue.

Ben fronça les sourcils. La plus jolie ville de la terre, mon œil ! C'était la plus déprimante du monde, oui ! Pas de boutiques dotées d'auvents aux teintes vives ni d'étals de fruits et légumes, pas de terrasses animées pleines de clients sirotant des boissons de toutes les couleurs. Au lieu de cela, la plupart des magasins de la Grand-Rue étaient vides, et il y avait des pancartes sur les vitrines :

– La ville n'est plus la même depuis que l'usine de boutons a fermé, expliqua Papi Isaac. Beaucoup de familles ont dû déménager pour trouver du travail ailleurs.

Ben avait entendu parler de cette usine. Sa mère conservait des boutons dans un grand pot dans la salle de jeux de leur maison, à Los Angeles. «C'est ton papi qui les a fabriqués, lui avait-elle raconté. Il a travaillé dans une usine de boutons presque toute sa vie.»

– Pourquoi l'usine a fermé? demanda Ben en se penchant par-dessus le siège de son grand-père.

– Les gens ne veulent plus de boutons faits à la main, répondit le vieil homme, en désignant les gros boutons en bois de sa chemise. Pourtant, ça, c'est de la qualité! Mais ça coûte moins cher d'acheter de la camelote en plastique fabriquée par des machines.

Ben regarda les fameux boutons de chemise, puis il se mit à examiner le visage ridé de son grand-père. Il ne l'avait pas vu depuis six ans. D'après le père de Ben, c'était parce que le vieil Isaac n'aimait pas voyager. Le garçon n'avait que quatre ans lors de sa dernière visite, et il n'en avait aucun souvenir. Sur les photos qu'il y avait chez lui, à Los Angeles, Papi avait les cheveux châtain foncé, exactement comme son fils et son petit-fils. Mais aujourd'hui, il n'avait plus le moindre poil sur le caillou. Ben devait fixer son grand-père de façon insistante, car celui-ci se retourna et dit :

— Toi aussi tu as changé ! Tu as les cheveux plus courts.

Ben y passa la main. Toutes les deux semaines, on les lui coupait à une longueur de deux centimètres précisément. Il eut envie de raconter que c'était parce qu'il avait attrapé des poux particulièrement agressifs, ou bien parce que la foudre lui avait frappé la tête. Mais en réalité, si Ben avait les cheveux si courts, c'était parce que sa mère trouvait ça chic. Au lieu de l'emmener chez le coiffeur du quartier, comme les autres garçons de sa classe, elle le traînait toujours dans son élégant salon de coiffure de Beverly Hills.

La Cadillac s'arrêta au stop devant le Bazar «Tout à un dollar». Une fille se penchait à la fenêtre du premier étage. Elle portait un peignoir rose

duveteux, mais ce n'est pas ça qui attira le regard de Ben, pas plus que ses longs cheveux blonds qui brillaient dans la lumière du lampadaire. Ce qui retint l'attention du garçon, c'est qu'elle scrutait le ciel, la bouche grande ouverte, comme si elle venait d'y apercevoir quelque chose de *très étrange*.

Ben défit sa ceinture, se glissa à l'autre bout de la banquette arrière, ouvrit la vitre et passa la tête par la fenêtre. La douceur de l'air du soir lui chatouilla les narines et les oreilles. Une ombre – une ombre avec des ailes immenses, et une queue aussi épaisse qu'une corde – passa comme une flèche entre deux nuages. Tellement vite que, si le garçon avait cligné des paupières à cette fraction de seconde-là, il l'aurait manquée.

La fille baissa les yeux et remarqua Ben. Leurs regards se croisèrent. Elle aussi avait vu la créature. Elle articula silencieusement un unique mot avant de disparaître derrière les rideaux.

– Tu veux que j'attrape un rhume ? maugréa Papi Isaac.

Ben remonta la vitre et boucla sa ceinture. Ils traversèrent plusieurs carrefours avant que son grand-père tourne dans une rue latérale. Ben entoura de ses bras la cage de son hamster. Il n'était pas spécialement doué pour lire sur les lèvres, mais il était à peu près certain d'avoir reconnu le mot prononcé par la fille.

Dragon.

3

La maison de la rue des Pins

Les maisons de la rue des Pins étaient toutes pareilles.

Elles avaient été construites, il y a bien longtemps, par le patron de l'usine de boutons pour y loger ses ouvriers.

C'étaient de petites maisons étroites, bordées d'une palissade blanche.

Toutes étaient peintes en vert et blanc, et disposaient d'une cheminée en brique, ainsi que d'une petite terrasse blanche à laquelle on accédait par trois petites marches.

La seule chose qui distinguait la maison de Papi Isaac des autres, c'était la balancelle rouge cerise qu'il avait installée sous le porche.

Le vieux monsieur s'aida de sa canne pour monter les marches, et il ouvrit la porte à son petit-fils. L'intérieur sentait l'oignon et le café, ce qui n'était pas si désagréable. Il y avait de la poussière partout, aussi bien sur la bibliothèque pleine à craquer que sur la table encombrée d'objets divers. Les meubles défraîchis étaient tout rafistolés. Les coussins du canapé perdaient leur rembourrage. La maison entière aurait pu tenir dans le garage des parents de Ben.

– C'est pas le grand luxe, mais c'est chez moi, fit Papi Isaac. Je sais que tu es habitué à mieux.

Ben posa la cage de son hamster sur le comptoir de la cuisine, juste à côté d'un bol de cacahuètes, et regarda autour de lui. Pas de télévision à écran plat, pas de lustre au plafond, pas d'élégants tapis persans. Et visiblement, pas

de femme de ménage. Il ouvrit la cage et laissa tomber deux cacahuètes à l'intérieur. Elles firent *plop!* en atterrissant sur les morceaux de papier journal. Et, tandis que Flemmard glissait la tête hors de son nid pour attraper ces petites friandises, Ben se demanda si son grand-père était pauvre.

– Si tu allais chercher ta valise? suggéra ce dernier en frottant son crâne dégarni. Ensuite, je te montrerai ta chambre.

Ben retourna à l'extérieur. Une seule et unique étoile était apparue dans le ciel désormais sans nuages. Il ne faisait jamais très sombre à Los Angeles; c'était une ville qui ne dormait jamais vraiment. Mais ici, à Boutonville, même avec tous les lampadaires allumés, on se sentait encerclé par la nuit et son cortège d'ombres inquiétantes. Une nuit si noire. Si silencieuse.

Ben s'empara de sa valise et se dépêcha de regagner la maison.

Papi Isaac ouvrit une porte au fond de la cuisine et dit:

– Voilà ta chambre!

Il tendit le bras pour tirer sur une cordelette qui pendait au plafond. La lumière s'alluma et révéla une pièce qui n'était guère plus grande qu'un placard, avec une vague odeur de boules antimites, et du papier peint jauni et à moitié décollé.

– À ta place, je laisserais cette souris ici, hors de portée de Barnaby.

Ben posa sa valise sur le lit ; des particules de poussière prirent leur envol pour virevolter dans les airs comme des gymnastes cosmiques.

– Flemmard n'est pas une souris, c'est un hamster. Qui est Barnaby ?

– Qui est Barnaby ? Barnaby, c'est mon chat, bien sûr !

– Tu as un chat ?

Le cœur de Ben s'emballa. Il courut prendre la cage dans la cuisine, et revint à toute vitesse dans la chambre.

– Oui, j'ai un chat. Et c'est un excellent chasseur de souris ! s'exclama Papi Isaac avec fierté.

– Un chasseur de souris ?

– Ça t'étonne ? Les chats chassent les souris ! C'est comme ça qu'ils s'amusent..., fit le vieil homme en esquissant un geste dédaigneux de la main. Mais Barnaby n'a jamais tué de hamster. Tant que tu gardes la porte bien fermée, ta bestiole est en sécurité. Voici ton placard et ta commode.

Ben mit la cage sur la commode. Ses parents ne lui avaient pas parlé d'un chat tueur de souris. À vrai dire, ils ne lui avaient pas dit grand-chose au sujet de ce voyage, juste : « On a besoin de passer du temps seuls tous les deux pour régler certains problèmes, donc on t'envoie chez ton grand-père. »

Le vieux monsieur s'approcha du garçon en clopinant et s'assit au bord du lit.

– Alors, dis-moi, quels sont tes projets ?

– Mes projets ?

– Pour cet été. Qu'est-ce que tu veux faire ?

– Je ne sais pas, répondit Ben en haussant les épaules. Qu'est-ce qu'il y a à faire, ici ?

Des grains de poussière tourbillonnaient sous l'ampoule du plafond.

– Eh bien, tu pourrais venir avec moi au club des seniors. Le lundi, on joue au bingo, le mardi au scrabble, le mercredi on a des cours de danse, le jeudi il y a des conférences, et le vendredi, c'est le jour des anniversaires : on fête tous les anniver-saires de la semaine. Le samedi, enfin, c'est le jour du flan.

– Le jour du flan ?

– Oui, on mange des flans à tous les parfums, c'est chouette.

Ben ne voulait pas vexer son grand-père, alors il se contenta de dire :

– Ah oui, ça a l'air chouette.

Papi Isaac tapota le genou du garçon.

– T'en fais pas, mon petit gars. Ça ne va pas être si terrible ! Tu vas trouver à t'occuper. Les enfants trouvent toujours quelque chose à faire. Tu vas t'occuper pendant que tes parents règlent leurs problèmes, et tu seras de retour pour la rentrée, en moins de temps qu'il n'en faut pour le dire !

Avec un grognement et quelques craquements de genoux, Papi Isaac se leva.

– Pour le moment, je vais te réchauffer des restes au micro-ondes.

Dès que son grand-père eut quitté la pièce, Ben laissa échapper le soupir qu'il retenait depuis qu'il était descendu de l'avion. Ça allait être le pire été de sa vie ! L'été, il était censé nager dans sa piscine avec ses copains ou faire de la barque sur le lac... Pas être coincé dans un club pour vieux à jouer au scrabble en mangeant du flan !

Un quart d'heure plus tard, tous deux étaient assis à la table de la cuisine.

– Y'a rien de très luxueux, dans le coin, expliqua Papi Isaac.

Il tendit à Ben une assiette ébréchée et une fourchette au manche tordu.

– Je mène une vie pépère de célibataire depuis vingt ans, et je m'en fiche comme de ma première chemise, des trucs luxueux. J'ai besoin de tout, sauf de luxe.

Le dîner était très bon. Les pommes de terre étaient pleines de crème fraîche, et le bœuf n'était pas trop sec. Ben avait le droit de prendre les cornichons à même le pot et de boire son soda directement à la canette. «Inutile de sortir des verres, avait précisé Papi Isaac. Les verres, ça se lave, et moi, j'aime pas faire la vaisselle.» Et, d'un coup de menton, il avait désigné la pile d'assiettes sales qui se dressait dans l'évier.

Le vieil homme ne semblait pas se soucier des bonnes manières. Il mâchait la bouche ouverte et raclait bruyamment son assiette pour ramasser les derniers morceaux de nourriture. Après un rot sonore, il s'essuya les lèvres sur sa manche. Ben observa les alentours. Les serviettes ne semblaient pas faire partie du monde de son grand-père. Alors, lui aussi s'essuya la bouche sur sa manche.

– Allons nous asseoir sur la terrasse pour compter les étoiles, proposa Papi Isaac en attrapant sa canne. Peut-être qu'on apercevra ce fameux oiseau, celui qui est aussi grand qu'un hélicoptère !

Il adressa un clin d'œil à Ben. Visiblement, il était persuadé que l'oiseau était tout droit sorti de l'imagination de son petit-fils.

En portant son assiette à l'évier, Ben se remémora la fille blonde. Elle avait articulé le mot « dragon ». Il fronça les sourcils. Il n'avait pas pensé un seul instant que l'immense oiseau puisse être un dragon.

«Ça n'existe pas, les dragons! se dit-il. Enfin...
seulement dans les histoires!»

Et Ben en connaissait un rayon sur les histoires.

Mais cette créature-là existait bel et bien. Alors,
qu'est-ce que c'était?

4

La fille du bazar

L e lendemain matin, Papi Isaac tendit à Ben une boîte de beignets.

– Prends vite ton petit déjeuner, on a des courses à faire.

Des beignets au petit déjeuner? Chez lui, Ben mangeait des flocons d'avoine avec des bananes, ou bien des céréales complètes. Tous les jours.

– Merci, dit-il en mordant à pleines dents dans la pâte recouverte de sucre.

– Je te conseille de fermer la porte de ta chambre. Barnaby est en chasse.

Ben n'avait pas encore vu le chat, mais il imaginait un gigantesque carnassier, avec des crocs effrayants et des yeux rouges brillants. Il alla voir si Flemmard se portait bien : il dormait, comme à son habitude. Ben ferma soigneusement la petite porte au fond de la cuisine et partit s'installer dans la voiture.

Il n'avait toujours aucune envie de passer l'été à Boutonville, mais, tandis qu'il savourait les dernières miettes de son beignet, il se dit qu'en fin de compte la situation n'était pas si terrible. Son grand-père ne l'avait pas obligé à prendre une douche ce matin. Il ne lui avait pas posé des questions du genre : « Est-ce que tu t'es brossé les dents *et* passé du fil dentaire ? Tu as mis des chaussettes propres ? Tu as pris tes vitamines ? » Puisque Papi Isaac portait les mêmes vêtements que la veille, le garçon avait décidé de l'imiter. Chez lui, il n'avait pas le droit de faire ça.

Hélas, à la grande déception de Ben, la Grand-Rue de Boutonville lui parut tout aussi miteuse en plein jour que de nuit. Peut-être même pire, parce qu'on voyait mieux la peinture qui s'écaillait, les fenêtres brisées et les fissures dans les trottoirs. Deux vieillards étaient assis devant la Quincaillerie de Boutonville. Papi Isaac les salua quand Ben et lui passèrent devant la boutique. Une dame, qui nettoyait les vitres du Café-restaurant de Boutonville, lui fit un petit signe de la main, que Papi Isaac lui rendit également.

La fille aux longs cheveux blonds qui était penchée le soir précédent à la fenêtre du Bazar « Tout à un dollar » était maintenant juste devant, un balai à la main. Lorsque Papi Isaac gara la voiture, elle ne lui fit pas de signe, mais elle les observa tous deux intensément.

– Alors, qu'est-ce que tu veux pour le dîner ? demanda le vieil homme, en ouvrant la boîte à gants pour y prendre un chapeau en toile qu'il se posa sur le crâne. Que dirais-tu d'un bon rôti ? Tu aimes ça ? Ils font de délicieux rôtis de bœuf à emporter à l'épicerie.

Ben ne lui fit pas remarquer qu'ils avaient déjà mangé du rôti de bœuf la veille. Il regardait la fille de l'autre côté de la rue, et elle le regardait aussi.

– Tu as encore avalé ta langue ?

– Désolé, répondit Ben. Oui, bien sûr, j'adore le rôti.

– Va pour le rôti, alors !

Papi Isaac empoigna sa canne et entreprit de s'extraire de la voiture. Ben se précipita du côté du conducteur pour l'aider.

– On dirait que Perle Petal vient par ici.

Le vieil homme inclina légèrement la tête, tandis que la blondinette traversait la chaussée, toujours cramponnée à son balai.

– C'est une gentille fille, cette Perle, mais elle est un peu canaille et a tendance à s'attirer des ennuis. Méfie-toi d'elle.

Sur ces mots, Papi Isaac posa sa canne sur le bord du trottoir, et se dirigea vers l'épicerie Bonprix.

Perle se déplaçait vite, à la manière de ces sportifs qui pratiquent la marche nordique : elle balançait vivement les bras, ses talons touchaient à peine le sol, le bas de son tablier vert du Bazar «Tout à un dollar» claquait contre ses genoux. Elle se planta devant Ben.

– Tu penses que c'était quoi, cette chose?

Elle avait les dents du bonheur: un large espace séparait celles de devant. Ses yeux étaient verts et malicieux, ses joues toutes roses. Elle se pencha si près du garçon qu'il put sentir l'odeur de son baume à lèvres à la cerise.

– Euh...

Ben fit un pas en arrière. Cette fille n'avait donc jamais entendu parler du respect de l'espace vital?

– Quelle chose?

Il voyait très bien de quoi elle voulait parler, mais comment réagir?

Elle se redressa – elle dépassait Ben d'au moins une tête.

– Cette *chose*, hier soir, dans le ciel... tu penses que c'était quoi?

«C'est vrai que ça ressemblait à un dragon», pensa-t-il, mais il ne le dit pas à voix haute.

– Un oiseau, peut-être?

– Un oiseau ?! répliqua-t-elle avec une grimace. Mais il était immense, et il avait une longue queue ! Tu crois vraiment que c'était un oiseau ? Tu ne trouves pas que ça ressemblait plus à un *dragon* ?

– Les dragons, ça n'existe pas.

– Qu'est-ce que tu en sais ? fit-elle en haussant les épaules. Et sinon, comment tu t'appelles ?

– Ben Silverstein.

– Moi, c'est Perle Petal. Qu'est-ce que tu fabriques à Boutonville, Ben Silverstein ?

– Je passe l'été chez mon grand-père.

– Tout l'été ? Tes parents t'ont envoyé dans cette ville triste à mourir pour *l'été entier* ? Ils sont fâchés contre toi, ou quoi ?!

Ben se mordit la lèvre et songea à inventer une histoire. Il pouvait prétendre que ses parents étaient des agents secrets partis pour une mission extrêmement dangereuse. Ou des astronautes qui passaient la belle saison sur Mars... Il y avait tant d'histoires plus intéressantes que la vérité : ses parents se disputaient sans arrêt et avaient besoin de se retrouver en tête à tête. Cette vérité-là, Ben ne voulait la

raconter à personne, et surtout pas à une fille qu'il connaissait à peine.

– Dis donc, t'as des vêtements hyper chics ! commenta Perle. Moi, presque tous mes habits viennent du bazar que tiennent mes parents.

Elle désigna du doigt le short de basket rouge luisant qui lui arrivait aux genoux en ajoutant :

– Ça, ça ne coûte qu'un dollar.

Ben aurait été incapable de donner le prix de son jean flambant neuf. Il savait seulement que sa mère l'avait commandé dans un catalogue.

– Est-ce que tu as des frères et sœurs ? enchaîna Perle.

– Non.

– Moi non plus. Il n'y a que mon père, ma mère et moi. Et aussi ma grand-tante Gladys qui n'a plus toute sa tête. Elle vit dans notre sous-sol et elle sent les pastilles à la menthe. La plupart des gens sont vieux, dans le coin, comme Tante Gladys. Beaucoup ont dû déménager pour trouver du travail, et forcément, ils ont emmené leurs enfants avec eux.

Perle reprit sa respiration avant de continuer :

– Il ne reste plus qu'une fille, ici. Elle s'appelle Victoria. Mais je te déconseille de lui parler, parce qu'elle raconte tout. Une fois, j'avais trouvé un nid de bébés ratons laveurs sous la maison, et je volais les restes des repas pour les nourrir. Victoria l'a rapporté à ma mère, et j'ai eu des tonnes de problèmes...

« Cette fille est bavarde comme une pie ! » pensa Ben.

– Euh... je dois aller aider mon grand-père. Il est dans l'épicerie et...

Il essaya de s'éloigner, mais Perle lui coupa la route.

– Tu penses vraiment que c'était un oiseau ? demanda-t-elle à voix basse.

Elle s'appuya sur son balai et le fixa du regard.

Non, Ben Silverstein ne pensait pas que c'était un oiseau. Ben Silverstein n'était pas idiot. Mais jamais il ne l'aurait avoué, pas même sous la torture. Ça lui aurait fait le même effet que de raconter qu'il avait vu la petite souris des dents de lait.

– Je l'avais déjà aperçu, la semaine dernière, révéla Perle en souriant. Il a atterri sur le toit de l'ancienne usine de boutons. Je pense que c'est là qu'il vit, et j'ai envie d'aller y mener ma petite enquête. Tu veux venir avec moi ?

Ben se souvint des paroles de Papi Isaac : « C'est une gentille fille, cette Perle, mais elle est un peu canaille et a tendance à s'attirer des ennuis. Méfie-toi d'elle. » Ben ne voulait pas d'ennuis. Tout ce qu'il voulait, c'était rentrer chez lui.

– Je ne peux pas, répondit-il. Je dois aider mon grand-père à... préparer le déjeuner.

Perle fronça les sourcils.

– Et qu'est-ce que tu feras quand le déjeuner sera prêt ?

– Eh bien... je le mangerai.

– Et après ?

– Après ? Eh bien, je ferai... des trucs ! dit-il en haussant les épaules.

– Ce qu'il faut que tu saches, c'est qu'il n'y a absolument *rien à faire* dans cette ville.

Sur ces mots, elle prit un chewing-gum, qu'elle se mit à mâchouiller. Elle en proposa un à Ben, qui refusa poliment.

– Le bowling a fermé, le cinéma ne passe des films que le vendredi soir. On n'a même pas de piscine, sauf si tu comptes le bassin en plastique du club des seniors, et ce n'est pas très marrant parce que les vieux se mettent à hurler dès que tu les éclabousses un peu.

Pas de piscine ? À Los Angeles, Ben en avait une dans son jardin. Tous ses amis aussi, d'ailleurs.

Perle montra du doigt les mots brodés sur son tablier – *LES MEILLEURES AFFAIRES SONT AU BAZAR « TOUT À UN DOLLAR »* –, et conclut :

– Bon... si tu changes d'avis, j'habite au-dessus du magasin. Et si, par hasard, tu vois un autre *oiseau*, tu me tiens au courant, d'accord ?

Avec son balai, elle poussa un bouton blanc dans le caniveau, puis retourna de l'autre côté de la rue.

Si la ville était aussi ennuyeuse que Perle le prétendait, l'été allait être long et morne...

5

L'homme aux bonbons

L'épicerie Bonprix n'avait rien à voir avec l'hypermarché où Ben et ses parents allaient faire leurs courses à Los Angeles. Cinq allées et une seule caisse. Pas de coin cafétéria où déguster des cappuccinos crémeux, et pas d'eau minérale en provenance des îles Fidji. Les sacs étaient en plastique, pas en toile. Et la promotion du jour portait sur le saucisson, pas le foie gras.

Le grand-père de Ben était le deuxième de la file d'attente devant la caisse. Il avait empilé tout un tas de produits dans son caddie : des saucisses de Francfort, du pain blanc et de la moutarde, mais aussi des pizzas surgelées et des nems, des bagels et du fromage à tartiner, des céréales au chocolat et une boîte de beignets. Ben sourit : pas un fruit, pas un légume, pas un seul « truc bon pour la santé ».

Le client devant Papi Isaac portait un long imperméable noir, ce qui était étrange par cette journée chaude et ensoleillée.

– Bonjour, chère madame, salua-t-il la caissière. J'aimerais acheter cette soupe de poisson en conserve, ce tube de lait concentré, et également des bonbons aromatisés au kiwi.

La caissière, une femme au nez couvert de boutons, tapota le comptoir avec ses ongles.

– Nous n'avons pas de bonbons au kiwi.

– Dans ce cas, vous seriez bien aimable de m'en commander, s'il vous plaît. J'en aurais besoin le plus vite possible, déclara l'homme en repoussant en arrière ses longs cheveux roux.

La femme prit un papier dans un tiroir et demanda :

– Combien vous en voulez ?

– Deux mille sachets.

– Deux mille sachets ?! lâcha Ben.

– Ça fait beaucoup de bonbons, commenta Papi Isaac en s'appuyant sur son caddie. Vous allez avoir les dents pleines de caries si vous mangez autant de sucreries.

L'homme se retourna lentement vers Ben et son grand-père. Il avait une moustache rousse, divisée en deux parties et si gominée qu'elle tenait toute seule à l'horizontale. Elle rappela à Ben les moustaches d'un chat, et elle tremblota quand l'homme se remit à parler :

– Je vous remercie de l'intérêt que vous portez à ma santé dentaire, mais vous n'avez pas besoin de vous inquiéter. Je ne suis nullement friand de bonbons au kiwi. Je ne me nourris que de viande.

– Que de viande ?! s'étonna Papi Isaac. Et le pain ? Vous n'aimez pas le pain ?

Les pupilles de l'homme, noires et en forme de demi-lunes, s'agrandirent d'un coup. Il remua le bout de son nez retroussé et renifla, les yeux posés sur Ben.

– Es-tu propriétaire d'un hamster chinois rayé ?

– Oui, répondit le garçon, surpris. Comment l'avez-vous deviné?

Avec deux ongles extrêmement pointus, l'homme ramassa un poil sur la chemise de Ben.

– Les chinois rayés ont une odeur unique, très différente de celle des hamsters ordinaires.

Il approcha le poil de son nez, qui se remit à bouger, comme s'il y avait un petit moteur à l'intérieur.

– Il s'agit d'un mâle. Jeune. Tendre. Délicieux avec du poivre, ajouta-t-il en se léchant les lèvres.

«Délicieux avec du poivre?!»

Ben sentit un frisson de panique lui parcourir la colonne vertébrale. Il n'avait jamais entendu quelqu'un parler de manger des hamsters. Quelle espèce de cinglé ferait une chose pareille?

– Vous êtes nouveau dans le coin, non? demanda Papi Isaac. D'où venez-vous?

L'homme se redressa. Son nez cessa de remuer.

– Je viens de... loin.

– Deux mille sachets, ça va vous coûter cher, intervint la caissière. Vous êtes sûr que vous en voulez autant?

– L'argent n'est pas un problème.

L'individu mit la main dans la poche de son pantalon et en sortit une liasse de billets, qu'il posa sur le comptoir. Comme Papi Isaac et la caissière étaient occupés à fixer les billets, la bouche grande ouverte, ils ne remarquèrent pas le petit bout de papier qui tomba de cette même poche et atterrit aux pieds de Ben.

– Mon employeur aimerait que les sachets de bonbons soient livrés dès leur arrivée.

– Qui est votre employeur ? s'enquit la caissière en ramassant la liasse.

– La très brillante et talentueuse Dr Woo, déclara l'homme en faisant claquer l'une de ses chaussures cirées sur le sol. D'ailleurs, si nous pouvions en finir avec cette commande... Je dois retourner travailler ; je suis l'assistant du Dr Woo.

– Il y a un nouveau docteur à Boutonville ? s'étonna Papi Isaac. C'est quel genre de docteur ?

– Un docteur pour vers de terre. Le Dr Woo est mondialement connue pour les soins qu'elle apporte aux vers.

Papi Isaac et la caissière échangèrent un regard perplexe.

– Auriez-vous un stylo, ma bonne dame, afin que je puisse remplir le bon de commande? ajouta l'homme.

La caissière lui tendit un crayon. Pendant qu'il griffonnait sur le document, Ben se pencha et ramassa discrètement le morceau de papier. C'était une recette.

LAIT DE DRAGON ARTIFICIEL, AVEC INGRÉDIENTS DU MONDE CONNU

- UNE BOÎTE DE SOUPE DE POISSON
- UN TUBE DE LAIT CONCENTRÉ

1. BIEN MÉLANGER LES INGRÉDIENTS.
2. FAIRE BOUILLIR LE MÉLANGE.
3. SERVIR BRÛLANT.

Ben lut la recette deux fois. Est-ce que c'était une blague?

L'homme avait fini de compléter le formulaire. Il le rendit à la caissière, qui le déchiffra avec difficulté.

– Vous voulez que les bonbons soient livrés à l'usine de boutons ? Mais... elle est fermée.

– Le Dr Woo a loué l'usine. C'est là qu'elle va installer sa clinique pour vers de terre.

Sur ces mots, l'homme ramassa son sac de courses, qui contenait la soupe de poisson et le lait concentré, adressa un petit signe de tête à la caissière et se dirigea vers la sortie.

Ben lui courut après.

– Excusez-moi !

– Plaît-il ? fit l'homme en se retournant.

– Vous avez perdu quelque chose.

Les moustaches de l'individu remuèrent quand il récupéra son petit morceau de papier.

– Merci.

– C'est une drôle de recette, signala Ben. Est-ce que c'est pour les vers de terre ? Pour les soigner ?

Le garçon ne connaissait pas grand-chose aux vers de terre. Il savait juste qu'ils continuent à gigoter quand on les coupe en deux.

– Non, cette recette n'est pas pour les vers de terre. Les vers ne boivent pas de lait de dragon. Il n'y a que les dragons qui boivent du lait de dragon.

L'homme s'en tint à cette explication, puis il s'inclina et poursuivit son chemin.

– Est-ce que j'ai bien entendu cet homme parler de dragons ? marmonna son grand-père quand Ben le rejoignit à la caisse.

– Oui, oui...

– *Oi gevald*, lança Papi Isaac en secouant la tête et en entreprenant d'empiler ses courses sur le tapis roulant. On n'avait vraiment pas besoin de ça : un dingue de plus à Boutonville !

6

Une tête
d'hippocampe

Pendant que Papi Isaac s'affairait dans
la cuisine, Ben donna un morceau de
beignet à Flemmard le hamster. Puis il
ouvrit la fenêtre.

Aucun moustique à l'horizon ; il passa la tête
à l'extérieur.

C'était la fin de la matinée, et un soleil éblouis-
sant éclairait l'espace entre la maison du vieil
Isaac et celle de son voisin. On y avait tellement marché qu'un petit sentier s'était creusé entre
elles.

– Aujourd'hui, c'est vendredi, cria Papi Isaac depuis la cuisine. C'est le jour des anniversaires au club des seniors.

Ben s'appuya contre le rebord de la fenêtre. Ça n'avait pas l'air très marrant, ce programme pour l'après-midi. Il pouvait dire à son grand-père qu'il avait mal au ventre. Ou inventer une meilleure histoire : il souffrait d'une maladie très rare qui le rendait allergique aux gâteaux d'anniversaire !

En même temps, mieux valait peut-être manger des gâteaux pleins de sucre plutôt que rester là à s'imaginer ce que faisaient ses amis. À se demander si ses parents allaient se séparer. À s'interroger au sujet de cet oiseau géant.

Miaou !

Un gros chat noir s'engagea sur le sentier entre les deux maisons en trottinant. Il avait la queue en l'air et quelque chose entre les dents. Il s'arrêta juste en dessous de la fenêtre de Ben, le regarda fixement, ses yeux jaunes agrandis par la surprise, et remua son derrière.

– Oh, non ! gémit Ben. Hors de question que tu viennes ici !

Mais, avant qu'il ait eu le temps de fermer la fenêtre, Barnaby avait sauté sur l'encadrement, puis sur le lit. Ben se jeta devant la commode pour s'interposer entre le chat et la cage du hamster.

– N'y pense même pas ! Allez, ouste !

Le garçon agita la main pour le chasser et indiqua la porte de la chambre.

– Déguerpis !

Mais le chat ne déguerpit pas. Sa pauvre victime pendait de sa gueule souriante. Flemmard arrêta de manger son beignet et se précipita dans son nid. Le froissement du papier journal attira l'attention du félin.

– Papi, tu peux appeler ton chat, s'il te plaît ? hurla Ben.

– Ici, Barnaby ! Barnaby, Barnaby ! Viens manger ton miam-miam !

Le son produit par un ouvre-boîte était apparemment plus intéressant que les gémissements d'un hamster. D'un bond, Barnaby s'élança dans les airs comme un trapéziste. Il atterrit avec grâce dans l'embrasure de la porte et se dandina vers la cuisine. Avec un soupir de soulagement, Ben se dépêcha de fermer la porte.

– Et ne t'avise plus de t'approcher, grommela-t-il.

Il s'apprêtait à aller réconforter Flemmard, à lui dire qu'il ne laisserait plus jamais ce vilain matou entrer dans sa chambre, quand il entendit un couinement. Il jeta un coup d'œil à son lit : là, au milieu de l'édredon, gisait la victime de Barnaby. Sauf qu'elle n'était pas morte. Elle gigota et couina à nouveau. Puis elle cracha un jet de feu vers le garçon.

– Holà ! cria-t-il en sentant le souffle brûlant passer juste au-dessus de sa tête.

Les flammes s'évanouirent aussi vite qu'elles étaient apparues. Ben se passa les mains sur le visage et les cheveux pour vérifier si rien n'était en train de brûler. Une deuxième flamme s'éleva alors, dont la portée ne dépassa pas un mètre, cette fois. Puis elle disparut, et la créature se remit à couiner.

Le troisième jet de feu qu'elle émit était très faible, à peine quelques étincelles, comme celles produites par les bougies magiques. Elles pétillèrent et crépitèrent avant de s'éteindre dans un sifflement. La petite créature toussa.

«Que s'est-il passé? Comment est-ce po...? Qu'est-ce que...?»

Les jambes de Ben tremblaient. Après une ou deux minutes sans nouvelle flamme, il s'agenouilla près du lit. Quelle que soit cette créature, il ne comptait certainement pas la toucher. Son corps et ses ailes étaient noirs, mais l'une d'elles était déchirée. Était-ce une chauve-souris? Ben en avait déjà vu en photo, et il savait qu'elles avaient une drôle de tête. Certaines ressemblaient beaucoup à des souris, d'autres plus à des renards. Il existait aussi des chauves-souris à tête de chien ou encore à tête de singe. Celle-ci avait un long museau, comme un hippocampe. Ben se pencha pour mieux l'observer, et il s'aperçut qu'il ne pouvait pas s'agir d'une chauve-souris. Les chauves-souris sont des mammifères recouverts de fourrure. Or, cette chose avait des écailles. Et puis, bien sûr, les chauves-souris ne crachent pas de feu. À la connaissance de Ben, aucun animal, d'ailleurs, ne crachait du feu. Aucun animal *réel*.

Papi Isaac frappa à la porte.

– Ben? Il y a ta mère au téléphone. Sois un bon garçon, et viens lui parler.

– OK.

Ben n'avait pas envie de laisser seule la petite créature, qui se remit à tousser, les yeux mi-clos.

– Je reviens tout de suite, lui murmura-t-il.

Il verrouilla la fenêtre pour empêcher le chat assassin d'entrer à nouveau dans sa chambre, et s'assura d'avoir bien refermé la porte derrière lui. Il décida de ne pas toucher un mot de la chauve-souris à son grand-père, qui était toujours occupé à ranger les courses. «Tu ne peux pas garder une

chauve-souris cracheuse de feu ici, dirait-il sûrement. C'est trop dangereux. Elle risque de te brûler
les oreilles.» Non, ce n'était pas la peine de le
mettre tout de suite au courant. Une chauve-souris
cracheuse de feu, c'était une trouvaille plutôt cool,
et Ben voulait passer plus de temps avec elle avant
d'en parler à un adulte.

Il prit le combiné. Le téléphone était un vieux
modèle, avec fil.

– Allô?

– Bonjour, Benjamin, gazouilla sa mère. Je voulais juste savoir comment tu allais. Est-ce que ton
grand-père te nourrit correctement?

– Oui.

– Tant mieux. Pense à l'aider à porter les choses
lourdes. Et pour les tâches ménagères. Il se fait
vieux, tu sais... Et n'oublie pas de ranger ta chambre,
de te brosser les dents, de...

Elle s'arrêta avant de reprendre:

– Oh, et puis, zut! N'oublie pas de t'amuser!
Amuse-toi le plus possible!

– D'accord..., répondit Ben, les yeux rivés sur la
porte de sa chambre.

– Tu es encore fâché qu'on t'ait envoyé là-bas ?

Il y eut un long silence. Si elle lui avait posé la question cinq minutes plus tôt, il aurait répondu que oui, il était furieux de se retrouver dans un bled ennuyeux à mourir au milieu de nulle part, chez un grand-père qu'il connaissait à peine. Mais, maintenant qu'il y avait une chauve-souris cracheuse de feu sur son lit... eh bien, ça changeait tout.

– Non, je ne suis plus fâché.

Barnaby donna un petit coup de patte sur la porte. Puis il essaya de tout son poids de pousser le battant. Un grognement sourd faisait vibrer son petit corps rond comme un tonneau tandis qu'il s'évertuait à tenter de pénétrer dans la chambre.

– Euh... il faut que j'y aille. Mais ne t'inquiète pas, Maman. Tout va bien.

– OK, mon cœur. Ton père et moi, on voulait juste que tu saches qu'on t'aime très fort.

– Moi aussi. Salut !

Il raccrocha et fit de grands moulinets avec les bras.

– Allez, ouste, Barnaby !

Le chat agita la queue, puis se dirigea très lentement vers son bol d'eau. Ben entrouvrit la porte et scruta l'intérieur de la chambre. La petite créature était exactement au même endroit sur le lit, occupée à lécher son aile blessée.

– Papi Isaac? Est-ce qu'il y a un vétérinaire à Boutonville?

– Apparemment, il y a maintenant un vétérinaire pour vers de terre, répondit le vieil homme, en posant un paquet de chips dans le placard. Qui peut bien avoir besoin de ça? Un docteur pour vers de terre!

– D'accord, mais... il n'y a pas *d'autre* vétérinaire?

Le garçon peinait à contenir l'excitation dans sa voix.

– Au cas où mon hamster serait malade, tu vois... C'est tout...

Papi Isaac secoua la tête.

– Un vétérinaire à Boutonville? Ce serait trop beau! Le plus proche est à quatre heures de route d'ici. J'y ai emmené Barnaby il y a quelques mois, quand il a eu une crise de foie après avoir mangé trop de souris. C'est fou ce que ce chat aime les souris!

Barnaby se faufila entre les jambes de Ben et frotta son museau contre son jean.

– Je dois finir de vider ma valise. Je ferme la porte pour être sûr qu'il ne viendra pas manger mon hamster, ajouta le garçon pour ne pas avoir l'air impoli.

– Pas de souci ! acquiesça son grand-père.

Il se pencha par-dessus le comptoir et alluma la radio. Un air de swing envahit la cuisine, et Papi Isaac se mit à taper du pied et à fredonner en cadence.

Ben poussa le battant avec beaucoup de précaution et s'agenouilla près du lit. La créature avait fermé les yeux. Sa cage thoracique montait et descendait au rythme de sa respiration rapide. Le vétérinaire le plus proche était à quatre heures de route. Il faudrait que Papi Isaac l'y conduise – Ben n'avait donc pas d'autre choix que de l'informer qu'il y avait une chauve-souris cracheuse de feu dans sa chambre.

La petite créature se retourna d'un coup. Avait-elle une queue ? Le garçon tendit la main et aplanit l'édredon pour mieux voir. Oui, c'était bien une queue. Une longue queue recouverte de pointes. Ben se laissa tomber sur le sol, un large sourire sur le visage. Il en frissonnait d'excitation.

« Les queues des chauves-souris n'ont pas de pointes. Les chauves-souris n'ont pas d'écailles. Les chauves-souris ne crachent pas de feu. »

Aussi incroyable que cela puisse paraître, Ben n'avait plus aucun doute : il savait ce qu'était la petite créature allongée sur son lit.

7

La promesse de Perle

— **J**e vais faire une sieste, annonça Papi Isaac en se tapotant le ventre.

Il attrapa sa canne et traversa d'un pas traînant la cuisine, dont le sol était jonché de miettes de pain. Ben avait mangé un sandwich à la mortadelle et un cornichon, mais il ne se souvenait déjà plus de leur goût. Il ne se rappelait même pas avoir mâché.

Toutes ses pensées étaient tournées vers le bébé dragon. Combien de temps allait-il survivre s'il ne recevait pas de soins ?

L'homme roux, celui qui avait fait tomber la recette du lait de dragon, avait dit qu'il travaillait dans l'ancienne usine de boutons. Une personne qui avait en sa possession une recette de lait de dragon devait connaître deux ou trois trucs sur les dragons, non ?

– Papi ?

– Oui ?

Il était installé sur le canapé rapiécé, ses longues jambes maigres étendues, et la tête posée sur un vieux coussin abîmé.

– Je peux aller me promener ?

– Si tu peux aller te promener ? Bien sûr que tu peux !

– Merci !

À Los Angeles, Ben n'avait absolument pas le droit de sortir tout seul. Trop de voitures, trop d'inconnus. Et puis, la ville était si étendue qu'il fallait bien une heure rien que pour aller au centre commercial à pied. À Boutonville, en revanche, on pouvait voir quasiment toute la commune depuis la Grand-Rue. Aucun risque de se perdre.

Tandis qu'il ajoutait son assiette du déjeuner à la pile dans l'évier, le garçon se rappela la promesse qu'il avait faite à sa mère d'aider pour les tâches ménagères.

– Je m'occuperai de la vaisselle à mon retour.

– Aucun problème! répondit Papi Isaac, avant de fermer les yeux et de se tourner sur le côté. Je vais aller au club des seniors, tout à l'heure. Il y a une clé sous le paillasson, si jamais je ne suis pas là quand tu rentres.

– OK.

Ben trouva une boîte à cookies en fer-blanc dans la cuisine et y fourra des serviettes en papier. Puis il s'empara d'une spatule rouillée et retourna précipitamment dans sa chambre.

La créature était toujours sur l'édredon, les paupières closes. Ben fit glisser la spatule sous son corps, la souleva délicatement, et la posa sur le matelas de serviettes en papier. L'espace d'une seconde, il s'inquiéta: le papier était hautement inflammable – mais le bébé dragon ne crachait même plus une étincelle.

– N'aie pas peur, murmura Ben.

Il mit le couvercle sur la boîte et la porta dans la cuisine. Des ronflements s'échappaient de la bouche entrouverte de Papi Isaac. Barnaby était allongé sur sa poitrine, où il se nettoyait nonchalamment les pattes avant. Il semblait avoir totalement oublié la créature blessée qu'il avait abandonnée sur le lit, et il ne remarqua même pas Ben quand celui-ci passa devant lui sur la pointe des pieds pour rejoindre la porte d'entrée. Le garçon se retourna une dernière fois pour vérifier si sa chambre était bien fermée, puis, la boîte à cookies serrée dans ses mains, il sortit sur le trottoir.

Il apercevait au loin l'hôtel de ville, qui lui indiquait le chemin de la Grand-Rue. En quelques minutes, il fut devant le Bazar «Tout à un dollar».

Il connaissait à peine Perle Petal, mais il avait besoin de son aide. Même si Papi Isaac avait parlé d'elle comme d'une canaille, il avait l'impression de pouvoir lui faire confiance. Après tout, ils avaient tous les deux vu l'oiseau géant, et elle avait articulé le mot «dragon». Elle lui avait également dit que l'oiseau en question vivait sur le toit de l'usine de boutons. Et aussi qu'elle allait enquêter sur la question. Si elle l'emmenait là-bas, ils retrouveraient sans doute l'homme roux qui avait prétendu y travailler. Ben n'avait plus qu'à espérer que Perle soit dans le magasin.

Dans la vitrine du bazar étaient empilés toutes sortes d'articles que l'on pouvait acheter pour un dollar : des baskets, des ballons en mousse, des paquets de tortillas, des balais... Des voix et des bruits de vaisselle provenaient du premier étage.

– Bonjour ! Y'a quelqu'un ? appela Ben.

Une tête blonde apparut à la fenêtre, et Perle baissa les yeux vers le garçon.

– Ah, c'est toi. Qu'est-ce que tu trimballes ?

Ben cacha la boîte à cookies dans son dos.

– Tu as toujours prévu d'aller à l'ancienne usine de boutons ? Pour essayer de retrouver ce... cet oiseau ?

– Ouais. Dès que j'aurai fini de manger, confirma-t-elle avec un grand sourire. Tu veux m'accompagner ?

– Oui, parce que...

Ben tapota nerveusement du pied, puis observa les alentours. Le trottoir était désert. Les oreilles les plus proches étaient celles d'une dame, de l'autre côté de la rue.

– J'ai trouvé quelque chose...

La jeune fille disparut. Quelques secondes plus tard, elle sortit en trombe du magasin, en faisant valser le panneau «OUVERT». Elle avait encore sa serviette à carreaux coincée dans le tee-shirt.

– Qu'est-ce que tu as trouvé? s'enquit-elle, les yeux brillants d'impatience.

Ben plissa les paupières.

– Tu dois me promettre de n'en parler à personne.

– Juré! fit-elle en levant bien haut la main droite.

– Parce que, si tu en parles à ton père ou à ta mère, ils pourraient le prendre.

– Je t'ai juré de garder le secret. Je tiens toujours mes promesses.

Alors, Ben dévoila la boîte en fer-blanc qu'il tenait derrière son dos, et il demanda en baissant la voix :

– Tu te souviens quand tu as dit que l'oiseau ressemblait à un dragon?

Perle acquiesça. Ses yeux étaient tellement écarquillés qu'ils semblaient sur le point de jaillir de leurs orbites.

– Tu as trouvé des crottes de dragon ?

– Mieux que ça.

Ben retira très délicatement le couvercle, pour ne pas effrayer la petite créature. Perle se pencha au-dessus.

– C'est un jouet ?

Puis elle prit une inspiration si profonde qu'elle aurait pu avaler tous les moucherons des alentours – ils n'auraient eu qu'à passer dans le trou entre ses dents du bonheur.

– Waouh ! Ça respire !

Elle tendit la main pour toucher l'animal, mais Ben la stoppa dans son élan :

– Attention ! Il crache du feu ! C'est le chat de mon grand-père qui l'a attrapé. Il l'a blessé à l'aile.

– Ben, tu as compris ce que tu as trouvé ? Tu te rends compte de ce que c'est ?

Les yeux verts de Perle étincelaient comme s'ils étaient remplis de paillettes.

Le garçon avala sa salive avec difficulté. Quand il reprit la parole, sa voix tremblait un peu :

– Je pense que c'est un bébé dragon.

– Ça, c'est sûr ! Tu crois que c'est le petit du grand dragon ?

– Possible.

– Alors, il faut le rendre à sa mère. Nous devons tout de suite aller à l'ancienne usine de boutons.

Ben ne voulait pas rendre le bébé. Il voulait le garder. Mais il ne savait pas comment s'en occuper.

– Voilà qu'il y a des dragons dans ce trou paumé où j'ai passé toute ma vie ! C'est incroyable ! s'écria Perle, avant de regarder par-dessus son épaule. On ferait mieux de refermer la boîte, avant que quelqu'un le voie.

Ben s'exécuta. Aussitôt, une dame aux cheveux aussi blonds que ceux de Perle passa la tête par la fenêtre du premier étage.

– Perle, qu'est-ce que tu fais ?

– Coucou, Maman ! Je discute avec mon nouvel ami, Ben.

Mme Petal sourit. Elle aussi avait les dents du bonheur.

– Bonjour, Ben. Tu dois être le petit-fils d'Isaac. On a beaucoup entendu parler de toi.

– Bonjour.

– J'imagine que c'est excitant, de vivre à Los Angeles. Tu dois trouver Boutonville bien ennuyeuse.

– Oh, eh bien...

– Maman, est-ce qu'on peut aller se promener, Ben et moi ?

Mme Petal pinça les lèvres et réfléchit quelques secondes.

– D'accord. Mais tu as encore du travail qui t'attend au magasin, alors il faut que tu sois de retour avant la fermeture.

– OK ! répondit Perle, qui arracha sa serviette et la lança à l'intérieur du Bazar « Tout à un dollar ».

Puis elle attrapa Ben par le bras et l'entraîna dans la rue.

– Et pas de bêtises, hein ! cria Mme Petal depuis la fenêtre. Évite de t'attirer des ennuis !

– Promis ! cria Perle en retour, puis elle grommela : Tout le monde pense toujours que je vais m'attirer des ennuis...

Ils passèrent devant le Café-restaurant de Boutonville, dont la porte ouverte laissait s'échapper une odeur de frites et de hamburgers grillés.

– Peut-être que le bébé est tombé du nid du grand dragon, imagina Perle en descendant la rue principale d'un pas rapide. Et c'est là que le chat de ton papi l'a trouvé...

– Peut-être, répondit Ben, même s'il avait du mal à croire que la gigantesque créature aperçue entre les nuages ait pu engendrer une si petite bête.

Devant lui, Perle tourna dans la rue des Sapins. Son short rouge soyeux bruissait à chacun de ses pas. Ils traversèrent le parking de l'église et passèrent comme des flèches derrière une station-service abandonnée. Les foulées de Perle étaient plus longues que celles de Ben, et ses pas plus rapides. Le garçon devait trottiner pour rester à sa hauteur.

– Si le nid est bel et bien sur le toit de l'usine, alors on va devoir faire un peu d'escalade pour rendre le bébé, déclara Perle tandis qu'ils atteignaient la rue des Érables.

Ben arrêta de marcher. Il y avait beaucoup de choses qu'il rêvait de faire dans la vie : passer le niveau 36 de *Galaxie Games*, apprendre le skate... Mais affronter une énorme maman dragon ? Non, ça n'en faisait pas partie. Le mur de feu qui risquait de jaillir de son museau serait un million de fois plus grand que les flammes émises par le bébé.

– Euh... Perle, je ne crois pas qu'il faille escalader l'usine. J'ai une meilleure idée.

Perle stoppa si net qu'elle dérapa.

– Une meilleure idée ? Je t'écoute !

Il lui parla de l'homme roux qu'il avait rencontré à l'épicerie.

– Impossible, répliqua-t-elle en écartant une mèche blonde de son visage. L'usine a fermé depuis des années. Plus personne ne travaille là-dedans.

– Cet homme avait dans la poche une recette de lait de dragon. Et il a acheté les ingrédients pour en fabriquer.

Ben s'attendait à ce que Perle explose de rire. À ce qu'elle lui donne un coup de coude et lui dise quelque chose du genre : « Non, mais tu plaisantes ? N'importe quoi ! » Mais elle ne réagit pas ainsi. Elle fit tourner une mèche de cheveux autour de son doigt, ses yeux se perdirent dans le vague, et elle prit un air de profonde réflexion.

– Perle ? Tu as entendu ce que je viens de te raconter ?

– Du lait de dragon, marmonna-t-elle. Alors, il est forcément au courant...

Elle se mit à tourner sur elle-même en criant :

– Waouuuuuuuuuuh !

Un écureuil décampa d'une poubelle. Perle ne s'arrêta pas pour autant.

– Waouuuuuuuuuuuh ! C'est génial ! Tu ne trouves pas ça génial ? Non, mais c'est génial, on est d'accord ?

Le visage de Ben se fendit d'un immense sourire.

– Oui, c'est génial.

Mais la bonne humeur des deux enfants fut de courte durée, car un petit bruit plaintif – entre un couinement et une toux – s'éleva de la boîte en fer-blanc. Ben retira le couvercle, et tous deux regardèrent à l'intérieur. Une petite tache verte était apparue sur les serviettes en papier.

– Tu crois que c'est du sang ? demanda Perle.

– Peut-être. Ce stupide chat en a fait, des dégâts !

– Alors, il faut qu'on se dépêche !

8

L'ancienne usine de boutons

L'usine se trouvait tout au bout de la ville. Elle était entourée par une grille en fer forgé. Au portail cadenassé était accroché un écriteau :

BIENVENUE À LA CLINIQUE
POUR VERS DE TERRE DU DR WOO.
LE DOCTEUR NE SOIGNE NI CHATS, NI CHIENS,
NI COCHONS, NI SERPENTS, NI TORTUES,
NI POISSONS ROUGES, NI GRENOUILLES,
NI AUCUNE AUTRE CRÉATURE QUI NE SOIT
PAS UN VER DE TERRE.
LE DR WOO NE REÇOIT QUE SUR RENDEZ-VOUS.
SI VOUS N'AVEZ PAS RENDEZ-VOUS,
→ DÉGUERPISSEZ ! ←

Ben soupira :

– Nous n'avons pas rendez-vous.

– Et nous n'avons pas de ver de terre, renchérit Perle. Mais il y a là-dedans quelqu'un qui possède des informations sur les dragons...

Et, sans un mot de plus, elle se mit à escalader la grille. En temps normal, Ben respectait ce qui était écrit sur les panneaux, mais il savait que, sans soins, le bébé dragon risquait de mourir. Il se hissa sur la pointe des pieds et passa délicatement la boîte en fer à Perle, à travers les barreaux. Puis il franchit la grille à son tour. Quand ses pieds touchèrent le sol de l'autre côté, il s'attendait à ce qu'une alarme se déclenche ou que des sirènes de police retentissent. Ou encore à ce que quelqu'un crie : « Hé, vous, les gosses ! Vous n'avez rien à faire ici ! » Mais non. L'après-midi était calme. Pas de circulation, pas d'alarmes de voitures, pas de bruits d'hélicoptères.

– Pourquoi est-ce aussi silencieux ?

– C'est toujours comme ça, ici.

– Merci d'avoir tenu le dragon, dit Ben en reprenant la boîte.

Il jeta un coup d'œil à l'intérieur; le bébé était toujours dans la même position, et son petit thorax couvert d'écailles bougeait au rythme de sa respiration saccadée.

– La tache verte ne s'est pas agrandie, remarqua-t-il.

– C'est bon signe. Ça veut sans doute dire qu'il ne saigne plus.

Derrière le portail s'étendait une longue allée. De part et d'autre, il y avait une pelouse envahie de mauvaises herbes. Ben y aperçut des éclats de couleur. Il se pencha et ramassa un bouton en bois rouge, puis un vert.

– Il y a des boutons partout dans Boutonville, expliqua Perle. Ce sont les pigeons qui les transportent pour les mettre dans leurs nids.

Un bâtiment rectangulaire en béton se dressait au bout de l'allée. On aurait dit une forteresse habitée par un savant fou. Il y avait des fenêtres sur chacun des dix étages, sombres, cassées pour la plupart. Tandis que les enfants s'approchaient de l'usine, une bourrasque ébouriffa les cheveux de

Perle. Une sorte de mugissement retentit quand le vent s'engouffra dans les fenêtres de la bâtisse.

– Ce bruit..., bredouilla Ben. On croirait une maison hantée...

– C'est peut-être le cas.

Perle montra du doigt l'un des angles du bâtiment.

– C'est là que le dragon a atterri. Tu vois quelque chose ?

– Non. Mais, si un dragon a fait son nid sur le toit de l'usine, alors ça doit être en plein milieu, là où personne ne peut le voir.

– Oui, c'est logique.

Perle emmena Ben de l'autre côté de l'usine, et elle désigna une échelle métallique qui menait au toit.

– C'est l'échelle de secours en cas d'incendie. On peut grimper dessus jusqu'en haut.

– Je ne veux pas aller en haut, protesta le garçon.

L'échelle était rouillée et elle trembla légère-ment quand Perle l'agrippa. Ben avait peur qu'elle se détache, mais il était encore plus effrayé par ce qu'ils risquaient de découvrir sur le toit.

– Imagine que la maman dragon soit en train de dormir et qu'on la réveille ?

Le vent se leva à nouveau et rugit dans les oreilles des enfants. Perle lâcha l'échelle et se retourna vers Ben.

– Il faut bien qu'on rende le bébé à sa mère !

– Non, pas forcément. J'ai réfléchi à la question. Les dragons sont des reptiles, n'est-ce pas ?

Perle haussa les épaules.

– Sans doute.

– Eh bien, les bébés reptiles ne restent pas avec leurs parents. Juste après l'éclosion, les bébés serpents s'en vont tout seuls en rampant, et les bébés tortues à la nage. Ils n'ont pas besoin de leurs parents. C'est sûrement pareil pour les dragons !

Ben se cramponna à la boîte à cookies en concluant :

– Si le bébé n'a pas besoin de sa mère, je le garde.

Alors, ils entendirent un grognement.

Perle scruta les alentours avec nervosité.

– N'empêche qu'il a besoin d'un médecin. On va essayer de frapper à la porte de devant.

Sur la porte d'entrée était scotché un petit mot :

Perle frappa tout de même. Pas de réponse. Elle frappa plus fort en criant :

– Y'a quelqu'un ?

De la lumière filtra soudain par la fente sous la porte. Les enfants entendirent des bruits de pas. Perle recula et prit Ben par le bras.

– Quelqu'un approche, chuchota-t-elle.

Un verrou glissa, et le battant s'ouvrit en grinçant. L'homme aux cheveux roux se tenait sur le seuil. Il haussa les sourcils d'un air impatient.

– Que puis-je pour vous ?

Il n'avait plus son imperméable noir. Il avait remonté les manches de sa chemise blanche, dévoilant ses bras incroyablement poilus. Son veston rouge et son pantalon impeccablement repassés lui donnaient l'air d'un serveur dans un restaurant chic. Il tenait à la main une cage à oiseau vide.

– Euh... bonjour, commença Ben. Je vous ai vu à l'épicerie, ce matin, quand vous commandiez des bonbons.

– Parfum kiwi, précisa l'homme.

La cage se balançait au bout de ses doigts. Ben y remarqua un petit tas, tout au fond. On aurait dit des cendres.

– Êtes-vous les livreurs ?

– Non, répondit Ben. Vous ne vous souvenez pas de moi ? Vous avez ramassé un poil de hamster sur ma chemise. Je vous ai rendu votre recette de lait de dragon que vous aviez perdue.

L'homme prit un air gourmand.

– Ah oui ! Je m'en souviens : un hamster chinois rayé.

« Délicieux avec du poivre... »

– Mais... si vous n'êtes pas les livreurs, que faites-vous ici ?

– Nous avons besoin de votre aide, intervint Perle.

– La clinique du Dr Woo est fermée.

– C'est pour une urgence, plaida Ben.

– Oui, une urgence, répéta Perle.

– Avez-vous un ver de terre malade ? s'enquit l'homme.

Ben tendit la boîte à cookies.

– Non, mais j'ai trouvé cet animal, et il est blessé.

Les moustaches rousses de l'homme tremblèrent. Il renifla et ses pupilles se dilatèrent.

– Serait-ce l'odeur d'une vouivre ?

Il colla son nez contre le fer-blanc.

– Mais oui, c'est ça ! Cher garçon, tu as retrouvé le nouveau-né disparu !

– Le nouveau-né... Et... vous savez comment prendre soin des nouveau-nés ?

– Le Dr Woo sait prendre soin de presque toutes les créatures.

Il mit la cage dans sa main gauche et tendit la droite.

– Donne-le-moi. Je vais m'en occuper.

– Je ne veux pas le laisser ici, protesta Ben. Je veux le garder. J'ai juste besoin du Dr Woo pour le soigner.

L'homme fronça les sourcils.

– Le garder ? C'est impossible.

Il jeta alors un coup d'œil à la cage dans sa main gauche. Le petit tas carbonisé s'était mis à rougeoyer, et des braises y crépitèrent, comme les restes d'un minuscule feu.

– Le phénix est en train de ressusciter. Attendez-moi ici.

Et il referma la porte.

– Un phénix ? s'écria Perle. Je sais ce que c'est. Je m'y connais en oiseaux ; j'ai même une collection de nids !

Puis elle se lança dans une explication :

– Un phénix, c'est un oiseau qui s'enflamme : il brûle complètement, et après il renaît de ses cendres.

Avant que Ben puisse faire le moindre commentaire, la porte se rouvrit. L'homme aux cheveux roux se tenait à nouveau sur le seuil, les mains vides, à présent.

– Venez-vous du Monde Imaginaire?

Perle et Ben échangèrent un regard perplexe, puis ils secouèrent la tête.

– Alors, vous ne pouvez en aucun cas garder le nouveau-né. Les créatures fantastiques n'ont pas le droit de vivre dans le Monde Connu. C'est contraire au règlement.

Monde Imaginaire? Monde Connu? Un frisson parcourut l'échine de Ben. De quoi cet homme parlait-il?

– Ce Monde Imaginaire... c'est un véritable endroit? se renseigna Perle.

– Bien sûr! Sinon, d'où ce nouveau-né viendrait-il?

L'homme s'éclaircit la gorge en marmonnant:

– Flûte! Je n'aurais peut-être pas dû dire ça...

Un couinement très faible résonna à l'intérieur de la boîte à cookies. La tête de Ben avait beau fourmiller de questions, le garçon était conscient que le dragon avait besoin d'aide.

– S'il vous plaît, pouvons-nous voir le Dr Woo? demanda-t-il.

– Elle n'est pas là. Elle est en visites à domicile. En son absence, c'est moi qui suis responsable de la clinique.

L'homme fit un pas sur le côté.

– Si vous ne pouvez pas vous résigner à abandonner le nouveau-né, vous feriez mieux d'entrer.

9

M. Chabott

Les enfants pénétrèrent dans une pièce vaste et glaciale. Le haut plafond était couvert de toiles d'araignées. Des lambeaux de peinture blanche écaillée pendaient des murs, comme si un très gros animal s'y était fait les griffes. Tout au fond, à côté d'un ascenseur, un panneau délavé était posé à la verticale contre une cloison.

BOUTONVILLE
USINE DE BOUTONS

Il y avait une première porte à gauche, et une seconde à droite.

– Veuillez m'excuser pour le désordre, dit l'homme. Nous ne sommes ici que depuis quelques jours. C'est assez difficile de déménager une clinique entière.

Il fit un petit mouvement de tête en direction d'une pile de cartons entassés dans un coin. Dans le coin opposé se trouvait un tas de boutons, à côté d'un balai. Aucune trace de la cage à oiseau.

– Pourquoi avez-vous besoin d'un endroit aussi grand? demanda Ben. Les vers de terre, c'est tout petit.

– Nous avons une pièce pour les vers de terre. Les autres pièces sont pour... d'autres créatures.

Il leur tendit la main.

– Permettez-moi de me présenter. Je m'appelle M. Chabott. Mon rôle est d'identifier et d'inscrire chaque patient.

Il serra la main de Ben, puis celle de Perle. Ses ongles, pointus comme des épines, égratignèrent la peau du garçon.

– Et vous êtes?

– Perle Petal.

– Et moi, Ben Silverstein.

– Eh bien, Perle Petal et Ben Silverstein, avant d'aller plus loin, je vais devoir vous faire signer ceci.

Il sortit un morceau de papier de la poche de son veston.

– Je n'ai pas le droit de signer quoi que ce soit sans l'avoir fait lire à mes parents, refusa Perle face au stylo que M. Chabott lui tendait. Un jour, j'ai signé des papiers, et on s'est retrouvés avec une antenne parabolique sur le toit. J'ai été privée de sorties pendant deux semaines. Et privée d'ordinateur. Et de bonbons. Privée de tout !

L'homme agita son stylo.

– Vous ne pourrez pas entrer dans la salle d'identification si vous ne signez pas. Alors, je me verrai dans l'obligation d'emporter le nouveau-né et de vous laisser ici.

– Je veux bien signer, moi ! intervint Ben, en donnant la boîte à cookies à Perle.

Il lut le papier, tandis que la jeune fille le déchiffrait par-dessus son épaule.

En signant le présent document, je jure que je ne tiendrai en aucune manière le Dr Woo responsable des blessures qui pourraient m'être infligées par des créatures du Monde Imaginaire ou du Monde Connu, parmi lesquelles (liste non exhaustive) : être mordu, griffé, piétiné, ratatiné, rongé, piqué par des insectes venimeux, prendre feu, être hypnotisé, lancé en l'air, déchiqueté, écrasé ou encore atomisé.

Signature :

x _____

– Atomisé ? releva Ben. Holà, attendez une seconde... Ça a l'air dangereux !

– Oui, c'est dangereux. Extrêmement dangereux. Et douloureux.

M. Chabott sortit un petit appareil de la poche de son veston, et il pianota sur le clavier.

– Mais, d'après ma Calculacréature, il n'y a ici aucune bête capable de vous atomiser. Aujourd'hui, vos chances d'atomisation sont nulles.

– Mais toutes les autres choses horribles ? demanda Ben. Déchiqueté ? Je ne veux pas être déchiqueté, moi !

– Moi, je trouve que le pire, c'est piétiné ! estima Perle.

M. Chabott fronça les sourcils.

– Je ne peux garantir votre sécurité. C'est la raison pour laquelle vous devez signer ce document.

Il leur tendit à nouveau le stylo.

– Vous devez signer, insista-t-il. Tous les deux. C'est à cette condition, et à cette condition seulement, que vous pourrez accompagner le nouveau-né dans la salle d'identification.

Ben céda. Perle hésita encore un instant, puis finit par griffonner son nom à son tour. M. Chabott glissa le morceau de papier dans la poche de son veston.

– Et maintenant, si vous voulez bien me suivre...

Un rugissement retentit dans la pièce – le genre de rugissement qui mérite d'être écrit en lettres majuscules avec trois points d'exclamation : *ROAAAH!!!* Il dura très longtemps, comme si la créature qui émettait ce bruit avait les poumons les plus gros du monde. Des pas lourds résonnèrent à l'étage, et des toiles d'araignées tombèrent du plafond.

Le rugissement s'éternisa tant que Ben eut le temps d'avoir toutes sortes de pensées. Il envisagea de courir vers la sortie, et de continuer à courir jusqu'à chez son grand-père. Il pensa ensuite que courir n'était pas une bonne idée, car il passerait pour une poule mouillée. Il se dit enfin qu'il valait mieux avoir l'air d'une poule mouillée qu'être écrabouillé, piétiné ou déchiqueté.

– C'était quoi, ça ? voulut savoir Perle quand le bruit s'arrêta.

– Je n'ose vous le dévoiler, dit M. Chabott en lissant son veston. Bien... passons aux choses sérieuses.

Il ouvrit la porte de la salle d'identification et s'adressa à Ben :

– Serais-tu assez aimable pour aller verrouiller la porte d'entrée, s'il te plaît ?

Perle suivit M. Chabott dans la salle d'identification, la boîte à cookies toujours dans les mains, tandis que Ben traversait le vestibule au pas de course. Il essaya de pousser le verrou, mais il était rouillé et ne bougea pas d'un pouce. Dans sa maison de Los Angeles, il n'y avait pas de verrou ; seulement un clavier qui activait l'alarme. Le garçon se pinça les doigts en essayant de faire glisser le loquet. En vain. Après plusieurs tentatives, il renonça. Après tout, la porte était fermée, c'était l'essentiel. Et puis, il ne voulait pas manquer une seconde de ce qui allait se passer dans l'autre pièce...

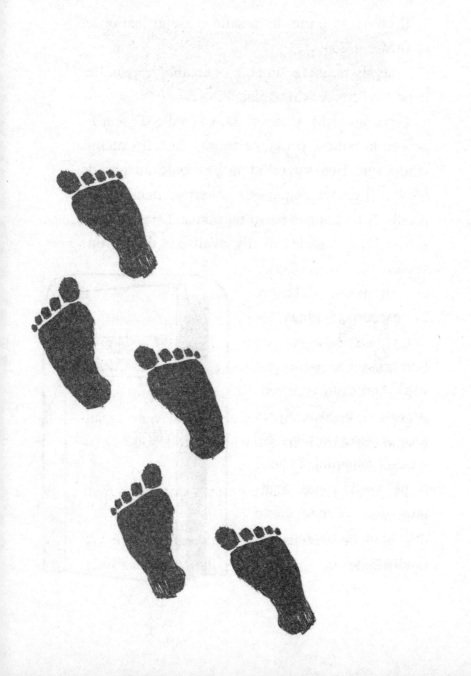

10

La vouivre

—Pose le patient sur la table d'identification, je te prie, commanda M. Chabott.

La table se trouvait au milieu d'une pièce encombrée. Un large tapis roulant partait d'une extrémité de celle-ci et la reliait à un gigantesque trou dans le mur, qui semblait déboucher sur une sorte de tunnel.

M. Chabott remit aux enfants des casques de pompier.

– Nous devons prendre nos précautions. Même un nouveau-né peut produire des flammes puissantes.

– J'ai vu ça, confirma Ben. Il m'a presque grillé le visage.

M. Chabott mit son casque et en rabattit la visière. Perle et Ben l'imitèrent.

– Attention, s'il vous plaît!

Les enfants reculèrent d'un pas pendant que l'homme soulevait le couvercle de la boîte à cookies.

Le bébé dragon tendit le cou et tourna la tête vers M. Chabott. Un petit sifflement sortit de sa gueule, mais pas de flamme. Sa tête retomba sur les serviettes en papier tachées de vert.

M. Chabott retira son casque.

– Il n'y a aucune inquiétude à avoir. Il est trop faible.

Perle et Ben enlevèrent également leur casque et le posèrent sur le côté. M. Chabott enfila une paire de gants blancs et prit une pince à épiler dans le tiroir de la table.

– Au début, j'ai cru que c'était une chauve-souris, avoua Ben.

– Je comprends pourquoi: la couleur, les ailes..., dit M. Chabott, en étirant l'aile blessée. Mais, comme je m'en doutais, il s'agit bien d'une vouivre. Mon odorat me trompe rarement.

– C'est quoi, une vouivre ? se renseigna Perle.

– C'est un dragon ailé à deux pattes. Cette créature apparaît dans les récits médiévaux d'une partie du Monde Connu appelée le pays de Galles. Les vouivres étaient très en vogue à l'époque des preux chevaliers : on en voyait fréquemment sur leurs boucliers et leurs blasons.

À l'aide de la pince à épiler, il déroula délicatement la queue du nouveau-né.

– Ce type de dragon possède souvent une queue hérissée de pointes.

– Vous pouvez guérir son aile ? demanda Ben.

– Oui, c'est assez facile à soigner, tout comme sa plaie à la queue. Savez-vous ce qui s'est passé ?

– C'est le chat de mon grand-père. Ce crétin l'a attrapé.

M. Chabott lança à Ben un regard noir.

– Crétin ? Comment oses-tu traiter un chat de crétin ?

Un grognement sourd monta de sa gorge. Ben trouvait que l'adjectif « crétin » convenait

parfaitement pour un chat. Tout comme « malé-fique », « cruel » et « féroce ». Il détestait les chats depuis que celui de son voisin avait dévoré son premier hamster. Tout ce qu'il avait laissé de la pauvre bête, c'était sa minuscule queue.

– Je n'aime pas les chats.

La moustache de M. Chabott en frémit d'agacement.

– Mon cher ami, peut-être que ce sont les chats qui ne t'aiment pas.

– Le bébé a refermé les yeux, intervint Perle en montrant la créature du doigt.

M. Chabott se remit à pianoter sur sa petite machine en grommelant :

– Catégorie : dragon. Espèce : vouivre. Âge : environ trois jours ?

– Est-ce que l'autre dragon est sa mère ? demanda Perle.

– Quel autre dragon ?

– Celui que Ben et moi avons vu voler. Celui qui s'est posé sur le toit de l'usine.

– Voici une question bien contrariante. Je vais faire comme si je n'avais rien entendu. Le nouveau-né était dans notre pouponnière; j'ignore comment ce chat a réussi à mettre la main dessus.

– Peut-être en passant par une des fenêtres cassées? hasarda Perle.

Ben n'arrivait toujours pas à s'y faire : *ils étaient en train de parler de dragons !* De dragons bien vivants, bien réels !

– Il y a quelque chose que je ne comprends pas, commença-t-il. Si nous sommes dans une clinique pour vers de terre, pourquoi aviez-vous un bébé dragon dans votre pouponnière?

– Encore une question contrariante, éluda M. Chabott en retirant ses gants. Bref... le nouveau-né va devoir subir une intervention chirurgicale.

– Est-ce que je pourrai le récupérer après l'opération?

– Non.

– Mais je...

– Te donner le nouveau-né serait contraire à la loi. Je te le répète : les créatures du Monde Imaginaire n'ont pas le droit de vivre dans le Monde Connu. Regarde ce qui s'est passé avec le monstre du Loch Ness...

– Quoi ? s'étrangla Perle. Vous êtes en train de nous dire que le monstre du Loch Ness existe vraiment ?

M. Chabott s'éclaircit la gorge.

– Encore une fois, je vais faire comme si je n'avais rien entendu.

– Mais le grand dragon, il vit ici, signala Ben, dans le Monde Connu.

– Le *grand dragon* a la permission du Dr Woo pour vivre ici. Oh, mon Dieu, je n'aurais pas dû dire ça !

M. Chabott croisa les bras et fixa les enfants, qui avaient l'air tout aussi stupéfaits l'un que l'autre.

– Admettons que j'accepte de vous confier le nouveau-né – je ne le ferai pas, mais admettons que je le fasse. Comment vous en occuperiez-vous ?

– Je ne sais pas, admit Ben en haussant les épaules.

– Je pourrais le garder dans ma chambre, répliqua Perle. J'ai une grande chambre.

– Ma jeune amie, vis-tu dans un château ?

– Non, j'habite au-dessus du Bazar « Tout à un dollar ».

– La petite créature que vous avez vue mesurera, à l'âge adulte, pas loin de cinq mètres de long. Ses ailes auront une envergure de six mètres, et elle pèsera une tonne. Quand elle atteindra la puberté, de nouvelles pointes pousseront sur sa queue. Des flammes sortiront de sa gueule dès qu'elle sera effrayée, en colère, ou tout simplement lorsqu'elle s'ennuiera. À moins que le Bazar «Tout à un dollar» soit intégralement construit en pierre, tu recevras constamment la visite des pompiers. Et puis, bien sûr, il y a la question de la nourriture...

– On peut fabriquer du lait de dragon! s'exclama Ben. On n'a qu'à utiliser votre recette.

– Cette recette ne vous sera utile que pour quelques jours. Le lait doit être servi bouillant, ce qui est déjà une prouesse. Très vite, le nouveau-né va grandir, et il aura besoin de chair fraîche. Écureuils, rats ou lapins feront l'affaire au début. Mais il faut savoir qu'à l'âge adulte, une vouivre se nourrit d'une vache par jour.

– Waouh! Ça fait vraiment beaucoup de viande! s'écria Ben.

– C'est exact.

M. Chabott prit la boîte à cookies et la posa sur le tapis roulant.

– Je vais envoyer notre petit patient au bloc.

– Vous nous avez dit que le Dr Woo était en visites à domicile, rappela Ben. Qui va pratiquer l'opération ?

– Accrocher une attelle à une aile et faire quelques points de suture à une queue sont des interventions relativement simples.

Il appuya sur un bouton, et le tapis roulant avança lentement, emportant avec lui la boîte en fer-blanc et son occupant. Ben avait envie de l'attraper et de ne plus la lâcher, mais il était heureux que le bébé reçoive les soins dont il avait besoin. Perle et lui se postèrent à l'entrée du tunnel et regardèrent la boîte du nouveau-né jusqu'à ce qu'elle ait disparu.

– Je n'ai même pas eu le temps de le prendre dans mes bras, constata Perle d'un ton triste.

– Au revoir, murmura Ben.

– Je vais maintenant vous escorter vers la sortie, enchaîna M. Chabott. Vos parents se demandent sûrement où vous êtes passés.

– Je suis censée rentrer au magasin pour finir mes corvées, confirma Perle. Je vais avoir des tonnes d'ennuis si...

Une alarme retentit, et une voix nasillarde sortit d'un haut-parleur accroché en haut d'un mur.

«ALERTE CODE JAUNE, ALERTE CODE JAUNE. LE YÉTI S'EST ÉCHAPPÉ. RÉQUISITION IMMÉDIATE DE TOUT LE PERSONNEL.»

Perle et Ben échangèrent un regard ahuri. En temps normal, le garçon aurait explosé de rire en entendant quelqu'un crier: «LE YÉTI S'EST ÉCHAPPÉ», mais, depuis son arrivée à Boutonville, il s'était produit si peu de choses normales...

– Oh, mon Dieu! Bon, pas de panique. Puisque la porte d'entrée est verrouillée, il n'y a aucune raison de s'inquiéter.

La gorge de Ben se serra d'un coup. Il revit en pensée la porte d'entrée et son verrou coincé.

– Euh...

«ALERTE CODE ROUGE, reprit la voix dans le haut-parleur. ALERTE CODE ROUGE. RÉQUISITION IMMÉDIATE DE TOUT LE PERSONNEL. LE YÉTI A QUITTÉ LE BÂTIMENT.»

11

Une évasion au poil !

M. Chabott retourna dans le hall d'entrée au pas de course, Ben et Perle sur ses talons.

Une brise fraîche chatouilla le visage du garçon.

La porte de l'usine était grande ouverte.

– Oups ! fit-il.

M. Chabott le foudroya du regard.

– Oups ?

– Le verrou est rouillé, expliqua Ben. J'ai essayé, mais...

Un petit grognement jaillit de la gorge de l'homme.

– Tu te rends compte de ce que tu as fait ? Tu as permis à une créature du Monde Imaginaire de pénétrer dans le Monde Connu !

– Je ne l'ai pas fait exprès, murmura Ben, en mettant les mains dans ses poches. J'ai voulu pousser le loquet, seulement il est resté coincé.

Il fixa le bout de ses chaussures afin de fuir le regard furibond de M. Chabott, et... Tiens, qu'est-ce que c'était, ce truc sur le sol ? Il se baissa et ramassa une touffe d'épaisse fourrure brune.

– Les yétis ont les doigts trop gros pour attraper les verrous. Voilà pourquoi nous en avons mis sur toutes les portes, expliqua M. Chabott.

Puis il se campa sur le seuil et secoua la tête.

– Je ne le vois pas. C'est très fâcheux...

– C'est quoi, un yéti ? s'enquit Perle.

L'homme ignora la question et se mit à farfouiller dans une pile de cartons.

– Mon travail consiste à faire régner l'ordre dans la clinique quand le Dr Woo est en visites à domicile. Elle va être terriblement déçue.

– Je suis désolé, reprit Ben. J'ai vraiment essayé de pousser le verrou, je vous assure.

– C'est quoi, un yéti ? répéta Perle.

– C'est un grand singe poilu, répondit Ben en lui montrant la touffe qu'il avait ramassée.

Il se souvint d'avoir vu une émission de télé sur les chasseurs de yétis, mais il n'en avait pas cru un mot.

– Tu veux dire qu'il y a un grand singe en liberté dans Boutonville ? C'est trop cool !

– Le yéti n'est pas un grand singe, les interrompit M. Chabott, qui continuait à fouiller dans les cartons. Le singe est une créature du Monde Connu. Tandis que le yéti, également appelé «Bigfoot», vient du Monde Imaginaire.

Ben fourra la touffe de poils dans sa poche. Il serait le seul enfant de Los Angeles à posséder un échantillon d'authentique fourrure de yéti. Et ça, c'était encore mieux que la dent de requin dont son copain Warren n'arrêtait pas de se vanter.

– «Bigfoot», ça veut dire «grand pied», non?
marmonna Perle.

– Oui, confirma M. Chabott.

– Au pluriel, ça ne devrait pas être «Bigfeet»?
À moins qu'il n'ait qu'un pied?

M. Chabott s'attaqua à une nouvelle pile de
cartons.

– Quelle question ridicule! Bien sûr qu'il a deux
pieds!

– Alors, pourquoi est-ce qu'on dit «Bigfoot» et
pas «Bigfeet»?

M. Chabott s'arrêta et dévisagea la jeune fille.
Il eut un tic qui fit remuer sa grosse moustache.

– Vous êtes les spécialistes des questions contra-
riantes, tous les deux. On n'étudie donc pas les
créatures imaginaires, dans votre école?

– Non, jamais, répliqua Perle. On n'étudie que
les animaux réels. En cours de biologie, on a même
disséqué des yeux de mouton.

– Quelle honte! Votre professeur aurait mieux
fait de vous montrer un globe oculaire d'hydre ou
de minotaure. Un œil de mouton... c'est tellement
ordinaire!

– Et gluant ! renchérit la fillette, en lançant à Ben un sourire malicieux. Le mien m'a échappé des mains, a traversé toute la classe et a atterri dans les cheveux de Mme Bee. J'ai été collée trois jours, parce qu'elle a dit que je l'avais fait exprès. Mais ce n'est pas vrai ; il avait glissé.

M. Chabott s'empara enfin de l'un des cartons de la pile et le posa par terre.

– Ah, le voici !

Les enfants se postèrent à ses côtés tandis qu'il ouvrait le carton et en retirait un petit coffret en métal, de la taille d'une miche de pain. Il portait une étiquette, sur laquelle il était écrit :

– En temps normal, c'est le Dr Woo qui s'occupe de ce genre de mission, déclara M. Chabott. Mais, comme elle est en visites à domicile, et comme c'est toi qui as négligé de verrouiller la porte...

Et il balança le coffret à Ben, qui faillit s'étrangler quand il le reçut dans les bras.

– Vous voulez que j'attrape le yéti ?

– Tout à fait.

– Pour la millionième fois, est-ce que quelqu'un voudrait bien me dire ce qu'est un yéti ? s'énerva Perle en tapant du pied.

M. Chabott s'éclaircit la gorge.

– Les yétis, parfois appelés « abominables hommes des neiges » ou « Bigfoot », sont des créatures humanoïdes poilues de très grande taille, qui vivent dans les forêts du Monde Imaginaire. Ils possèdent un front bas et un petit cerveau. Ils mesurent entre 1,80 et 2,40 mètres, et peuvent peser plus de 200 kilogrammes.

M. Chabott sortit son étrange calculette.

– L'individu qui nous concerne mesure 2,25 mètres et pèse 180 kilos. Le Dr Woo l'a accueilli ici pour soigner les verrues qu'il a aux pieds.

– Beurk, c'est dégoûtant ! gémit Perle.

Ben jeta un coup d'œil vers la porte d'entrée grande ouverte.

– Les gens vont paniquer s'ils le voient.

– Exact, confirma M. Chabott. Dès qu'une créature du Monde Imaginaire s'aventure dans le Monde Connu, les gens paniquent.

– On devrait peut-être appeler la police, suggéra le garçon.

– Ma tante Milly est agent de police, intervint Perle. Je peux la contacter.

– C'est une très mauvaise idée, trancha M. Chabott. Cela causerait certainement une tragédie. Les autorités emporteraient le yéti et l'enfermeraient quelque part. Il ne pourrait plus jamais rentrer chez lui, dans le Monde Imaginaire, où sa famille l'attend. Tout ceci doit rester secret. Nous devons nous associer pour sauver le yéti.

Ben et Perle hochèrent la tête.

– Ne vous inquiétez pas, enchaîna M. Chabott. Les yétis sont gentils. Ils ne blessent pas les humains. Pas volontairement, en tout cas. Et le nôtre n'ira pas loin. Les yétis ne sont pas de grands voyageurs ; ils sont assez paresseux et préfèrent rester dans la forêt. C'est sans doute l'endroit qu'il aura choisi pour se cacher et dormir. Je vous conseille donc de commencer à chercher par là.

M. Chabott remit le carton dans la pile, puis lissa son veston.

– En l'absence du Dr Woo, j'ai beaucoup de travail. Je compte sur vous pour ramener le yéti sain et sauf à la clinique.

Il leur tendit une petite clé en cuivre.

– Ceci vous permettra d'ouvrir le kit spécial capture de yétis.

Perle fut plus rapide que Ben à s'emparer de l'objet.

Sur ce, M. Chabott tourna les talons de ses chaussures parfaitement cirées et ouvrit la porte réservée au personnel, qui se referma derrière lui. Perle et Ben se retrouvèrent seuls dans le hall d'entrée.

– C'est la journée la plus bizarre de toute ma vie, balbutia Perle.

– La plus bizarre, acquiesça Ben.

– Bon... dépêchons-nous !

12

Le kit spécial capture de yétis

Perle et Ben décidèrent de mettre leur plan au point dans la chambre du garçon, assis sur le sol, pendant que Papi Isaac serait au club des seniors. Chez Perle, au-dessus du Bazar « Tout à un dollar » où il y avait toujours du monde, ils n'auraient pas été tranquilles. Or, quand on s'apprête à ouvrir un kit spécial capture de yétis, mieux vaut avoir un peu d'intimité...

– Ton hamster est trop mignon, déclara Perle en regardant Flemmard qui mâchonnait un bout de fromage. Ma mère ne veut pas que j'en aie un.

Elle dit que ma chambre sentirait la vieille couche usagée.

Elle haussa les épaules et ajouta :

– N'importe quoi : ta chambre ne sent pas la vieille couche usagée. Enfin, pas trop. Juste un petit peu.

Ben, habitué à l'odeur âcre qui se dégageait de la cage de Flemmard, ne s'en vexa pas.

– Vas-y, ouvre ! pressa-t-il Perle, qui avait toujours la clé à la main.

Elle glissa la clé en cuivre dans la serrure du coffret. Il y eut un léger *clic !* et le couvercle s'ouvrit d'un coup sec. Perle prit une grande inspiration et en retira le premier objet : un petit livre à la reliure de cuir, intitulé *Guide de capture des yétis, par le Dr Woo*. La fillette lut l'introduction à voix haute.

> Ce guide vous aidera à capturer les yétis.
> Ce guide ne vous aidera pas à capturer les trolls, les lutins, ni toute autre créature à deux jambes. Si tel est votre souhait, référez-vous à mes autres guides.

— Des trolls et des lutins ? s'étonna Ben. C'est vraiment ce qui est écrit ?

Pour le prouver, Perle lui montra la page, puis elle continua sa lecture.

Avant de se lancer dans la capture d'un yéti, il y a quelques petites choses à savoir...
Première chose : les yétis sont moins bêtes qu'ils en ont l'air. Car ils ont l'air vraiment très bêtes. Ils aiment les puzzles, et adorent ranger les objets par couleur.

— Alors, ça, c'est bizarre..., commenta Ben.

Deuxième chose : les yétis sont les créatures les plus puantes du Monde Imaginaire. Selon certains, leur odeur serait celle d'un chien mouillé qui se serait roulé dans un tas de chaussettes sales.

Troisième chose : les yétis ne parlent pas. Ils n'aiment donc pas qu'on leur pose des questions. Si vous leur posez trop de questions, ils risquent de se mettre en colère.

Quatrième chose : bien qu'ils soient doux et pacifiques, du genre à ne pas faire de mal à une mouche, mieux vaut éviter de mettre les yétis en colère. Car ils ont assez de force pour vous arracher un bras ou une jambe.

Cinquième chose : les yétis adorent manger et ils ne sont jamais rassasiés. À l'état sauvage, ils mangent des fougères, des baies, des champignons et des écorces d'arbres. Mais, dans le Monde Connu, ils ont tendance à rechercher les aliments sucrés, en particulier le chocolat.

Après de nombreuses expériences, souvent cou-
ronnées d'échecs, je suis parvenue à la conclusion
qu'il existe trois stratégies différentes pour capturer un yéti.

Première stratégie : l'endormir.
Le kit spécial capture de yétis comprend donc
une fléchette hypodermique contenant un tran-
quillisant assez puissant pour endormir un
individu de taille moyenne.
Le mieux est de lui injecter le produit dans les
fesses. Ainsi, l'effet est immédiat.
Attention à bien garder vos distances, car le
yéti s'écroulera et écrabouillera tout ce qui se
trouve autour de lui. Le produit fait effet pendant une heure.
Cette stratégie n'est à utiliser que si vous êtes
en mesure de porter le yéti.
Dans le cas contraire, mieux vaut opter pour
une autre stratégie.

Perle leva les yeux du livre.

– Moi aussi, j'adore le chocolat. Sauf celui avec des noisettes dedans ; ça gâche tout, quand il y a des noisettes. Tu crois que les yétis aiment les noisettes ?

Pour seule réponse, Ben lui donna un coup de coude.

– Continue à lire !

Perle leva à nouveau le regard.

– Combien M. Chabott a dit que notre yéti pesait ?

– Environ 200 kilos, répondit Ben.

Il retira de la boîte une sarbacane et un tube en plastique hermétiquement fermé, et ajouta :

– Je ne crois pas qu'on soit en mesure de porter un yéti de 200 kilos.

Là-dessus, Perle reprit sa lecture.

Deuxième stratégie : lui tendre un piège.
Le kit comprend donc un filet.

J'ai découvert que, si une friandise est placée à l'intérieur du filet, le yéti se dirigera droit dans le piège et restera tranquillement assis à déguster sa sucrerie tandis qu'on fermera le filet autour de lui. Les yétis se défendent rarement, sauf si on les énerve en leur posant des questions.

Cette stratégie n'est à utiliser que si vous êtes en mesure de traîner le filet avec le yéti à l'intérieur. Dans le cas contraire, mieux vaut opter pour une autre stratégie.

— Si on n'arrive pas à le porter, je ne crois pas qu'on réussira à le traîner, fit remarquer Ben.

Il posa le filet et jeta un coup d'œil à l'intérieur de la boîte. Il restait trois objets.

Troisième stratégie : l'attirer avec de la nourriture.

> *Les yétis ont tout le temps faim et ils adorent le sucre. J'ai découvert que, si on leur donne du chocolat, ils nous suivent de leur plein gré. Attention, toutefois, à ne pas vous retrouver à court de chocolat avant d'avoir atteint votre destination, sinon vous devrez finir par recourir à l'une des deux autres stratégies.*

– Finalement, ça a l'air facile ! se réjouit Ben en prenant dans la boîte une tablette de chocolat. Mais c'est quoi, ce truc vert ?

L'objet en question avait la taille et la forme d'une balle de tennis.

> *J'ai inclus dans le kit spécial capture de yétis une bombe à brouillard, qui sert à créer un banc de brume. Cet accessoire vous fournira le camouflage parfait si vous êtes confronté à des voisins curieux.*

Perle mit la main dans la boîte et en retira le dernier objet.

Le dernier accessoire de ce kit est d'une importance capitale. Il s'agit d'un sifflet. À condition que l'on s'en serve correctement, il produit un son en tous points similaire au cri d'un yéti sauvage. N'utilisez ce sifflet qu'en dernier recours, et seulement si vous avez de l'expérience en la matière. Car, si le sifflet est mal employé, il risque d'attirer d'autres créatures que le yéti.

Perle lâcha le livre et leva le sifflet pour l'observer à la lumière. Il était en métal argenté, et l'ampoule du plafonnier le faisait luire comme la surface de la lune.

– Je me demande à quoi ressemble le cri d'un yéti sauvage, dit-elle.

– Sûrement au cri qu'on a entendu à la clinique.

– Tu crois?

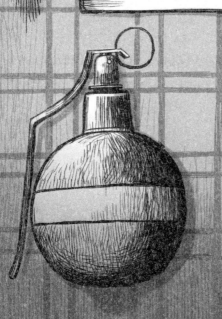

GUIDE
DE CAPTURE
DES YÉTIS,
par le Dr Woo

Choco

CHOCOLAT AU LAIT

Perle fit rouler le sifflet entre ses doigts, un petit sourire aux lèvres.

– Et si on le vérifiait?

Sur ces mots, elle porta le sifflet à sa bouche. Ben lui attrapa le poignet en s'écriant:

– Attends! Le livre dit qu'on ne doit l'utiliser qu'en dernier recours.

Le sourire de Perle s'élargit.

– Allez, Ben! Tu n'as pas envie d'entendre le cri du yéti, toi? Je sifflerai très doucement, juste un petit coup.

Puis elle chuchota:

– Personne ne le saura...

Ben lui lâcha le poignet.

– OK. Vraiment tout doucement, alors...

Perle posa donc le sifflet entre ses lèvres et, veillant à ne produire qu'un mince filet d'air, elle souffla.

13

Une folle cavalcade !

Ben s'approcha de Perle. Il s'attendait à entendre le sifflet émettre un très léger grognement...

TRIIIIIIIIIIIIIIT !

Il pressa les doigts sur ses oreilles.

– Arrête ! supplia-t-il, et Perle cessa de souffler.

Le bruit avait été aussi violent que celui d'un train traversant la chambre. Flemmard couina et se réfugia dans son nid. L'écho du sifflement retentit encore un instant, puis s'évanouit. Ben baissa les mains et jeta à Perle un regard furieux.

— J'ai soufflé tout doucement, se défendit-elle, avant de scruter les alentours. Tu penses que quelqu'un l'a entendu ?

— Je pense que *tout le monde* l'a entendu, rétorqua Ben, dont les oreilles sifflaient encore. À mon avis, ça s'est entendu jusqu'à l'aéroport.

Ils échangèrent un regard inquiet.

— Tu crois que...

Perle se leva d'un bond.

— Tu crois que le yéti l'a entendu ?

— C'est sûr ! répliqua Ben, les sourcils froncés. Mais... quel drôle de cri pour un yéti ! *Triiit* ? Je ne m'attendais vraiment pas à ce que le rugissement d'un yéti ressemble à ça.

– Moi non plus.

Soudain, une sorte de vrombissement retentit au loin. Perle se raidit.

– Qu'est-ce que c'est ?

Ben se précipita vers la fenêtre, l'ouvrit à la hâte et sortit la tête. Le vrombissement était de plus en plus fort.

– Pousse-toi ! s'écria Perle en venant à côté de lui pour planter ses coudes sur le rebord de la fenêtre.

Elle passa également la tête à l'extérieur, envoyant l'une de ses boucles blondes valser dans la bouche de Ben. Il l'écarta d'un revers de main en marmonnant :

– On dirait qu'un truc très gros est en train de courir vers nous...

« Un truc très gros ? Qui vient par ici ? »

Ben sentit les battements de son cœur s'accélérer.

Quelques minutes pour tôt, ils étaient tranquillement occupés à ouvrir une boîte en métal, rêvant à toutes les possibilités qu'elle renfermait, et voilà qu'un yéti bien réel galopait dans leur direction ! Des images de *Godzilla* jaillirent dans l'esprit du garçon. Il se rappela ces vieux films japonais, où un gigantesque reptile vert parcourt les rues de Tokyo en écrasant tout sur son passage, les voitures comme les bâtiments. Sauf qu'ils n'étaient pas à Tokyo, mais à Boutonville. Et que ce monstre n'était pas un lézard géant, mais une grosse bébête pleine de poils !

– Qu'est-ce qu'on fait ? demanda Ben, dont la voix partit dans les aigus. On n'est pas prêts pour le capturer ; on n'a pas encore réfléchi à la meilleure stratégie. On n'a pas trouvé comment le ramener à l'usine, et...

– Chut ! Écoute !

Ben ravala sa panique et tendit l'oreille vers la rue. Le vrombissement continuait de se rapprocher, et il semblait maintenant un peu différent, plus complexe...

– On dirait... un troupeau de vaches, souffla Ben.

Il ne se rappelait pas avoir vu de vaches en venant de l'aéroport. Seulement des arbres. De très, très nombreux arbres.

– Il y a des vaches à Boutonville ?

– Non.

Perle rentra la tête à l'intérieur de la chambre et pointa le sifflet du doigt :

– Le guide disait que, si on ne l'utilisait pas correctement, il risquait d'attirer d'autres créatures.

– Mais il ne disait pas *quel genre d'autres créatures*..., murmura Ben d'une voix blanche.

Ils traversèrent la cuisine au pas de course, faisant s'entrechoquer les poêles et casseroles qui y étaient suspendues. Ben agrippa la poignée de la porte d'entrée et l'ouvrit d'un coup sec. Les deux enfants se postèrent sur le seuil, côte à côte. Le sol de la terrasse vibrait sous leurs pieds à mesure que le vrombissement s'amplifiait. Barnaby, qui dormait au soleil sur le gazon, fonça se réfugier dans l'arbre le plus proche, où il s'accrocha à une branche, les poils hérissés, en poussant des feulements terrifiés. Plus loin dans la rue, quelqu'un hurla. Ben s'accrocha à la rambarde du perron, tandis qu'une masse grise apparaissait au croisement.

– Des écureuils ?! s'écria Perle.

En effet, un troupeau d'écureuils dévalait la rue des Pins. Il y en avait une centaine, peut-être plus. Ben n'avait jamais rien vu de tel. À Los Angeles, il y avait aussi des écureuils, mais ils restaient dans les parcs et ne se déplaçaient pas en groupe. Jamais ils n'auraient galopé de la sorte dans les rues, comme s'ils participaient à un marathon.

– Qu'est-ce que c'est que... ? bredouilla-t-il.

Les écureuils renversèrent une poubelle et deux boîtes aux lettres avant de pénétrer dans le jardin de Papi Isaac. Perle tira Ben par la manche, s'engouffra dans la maison, referma précipitamment la porte, et alla se placer face à la fenêtre, bouche bée. Les rongeurs s'étaient rués sur la petite terrasse. Certains étaient perchés sur la rambarde, d'autres entassés sur la balancelle rouge cerise, d'autres encore avaient envahi le rebord de la fenêtre, leur petit museau noir collé contre la vitre. Un chœur de *Triiit, triiit, triiit!* retentissait.

– C'est dingue! s'exclama Ben. C'est exactement le même bruit que celui produit par le sifflet.

– Sauf que le bruit du sifflet était un million de fois plus fort, rappela Perle, les yeux fixés sur les

petites têtes grises de l'autre côté de la vitre. Ils ont dû croire qu'un écureuil géant les avait appelés ici. Peut-être même la reine des écureuils...

Cette supposition était assez logique. Même si elle était complètement folle.

– Comment va-t-on se débarrasser d'eux ? demanda Ben.

Le souffle chaud des écureuils commençait à embuer la vitre.

– Ils vont sûrement partir d'eux-mêmes. On n'a qu'à attendre.

Mais ils ne partirent pas. Quelques voitures s'arrêtèrent. Des voisins observèrent la scène en passant la tête au-dessus des clôtures.

Constatant que leur reine ne se montrait pas, les écureuils se mirent à explorer le jardin. Ils burent dans l'abreuvoir à oiseaux, puis le renversèrent. Ils chassèrent Barnaby de son arbre et se hissèrent sur les branches pour dévorer tous les glands, dont ils balancèrent les coquilles par terre. Ils creusèrent l'herbe de leurs petites griffes pour chercher autre chose à manger.

Triiit, triiit, triiit !

– Ce bruit est super énervant, dit Perle, tandis que dix-huit paires de petits yeux perçants continuaient de la fixer à travers la vitre.

Triiit, triiit, triit !

– Oui, et ils mettent un sacré bazar, renchérit Ben, qui craignait que son grand-père retrouve son jardin dans un état désastreux à son retour. Il faut faire quelque chose.

Les enfants passèrent le reste de l'après-midi à chasser les écureuils. Armés de balais et de râteaux, ils les délogèrent de l'arbre et les repoussèrent dans la rue. Ils redressèrent l'abreuvoir à oiseaux, les poubelles et les boîtes aux lettres. Puis Ben passa le râteau sur la pelouse pour enlever les coquilles de glands, et Perle nettoya les vitres afin de faire disparaître les traces de pattes d'écureuil.

À l'instant où ils eurent terminé, le téléphone sonna. Ben alla décrocher ; c'était la mère de Perle, qui voulait rappeler à sa fille qu'elle devait rentrer chez elle pour finir son travail. Une cargaison de marchandises était arrivée de Chine, et il fallait les ranger sur les étagères du Bazar « Tout à un dollar ».

– Est-ce que tu pourras revenir plus tard ? lui demanda Ben. Pour qu'on aille dans la forêt ?

– Quand le magasin fermera, il sera l'heure de manger. Ensuite, il fera noir, et ma mère n'acceptera jamais que j'aille me promener dans les bois à la nuit tombée. Nous allons devoir attendre demain...

Ben acquiesça. Il est vrai qu'une balade en forêt en pleine nuit... c'était assez effrayant.

De retour dans la chambre du garçon, les deux amis ramassèrent le filet, la fléchette hypodermique, la sarbacane, la tablette de chocolat, le guide et le sifflet, et ils remirent le tout dans le kit spécial capture de yétis. Avant que Ben puisse protester, Perle verrouilla le coffret.

– Tu gardes la boîte, je garde la clé, décida-t-elle avec un sourire entendu. Comme ça, aucun de nous ne fera quelque chose qu'il pourrait regretter. Par exemple, réessayer d'utiliser le sifflet...

– Oh, moi, je n'aurais jamais osé ! assura Ben.

En vérité, il s'était demandé quel genre de son en sortirait s'il essayait à son tour. Ferait-il apparaître un essaim d'abeilles ? Une colonie d'ours ?

– Viens au magasin dès que tu pourras demain matin. Je me réveillerai ultra-tôt pour prendre de l'avance dans mes corvées, et on partira illico en forêt.

– Espérons que M. Chabott avait raison quand il a dit que le yéti ne ferait pas de mal à une mouche et qu'il est probablement en train de dormir...

– Moi, en tout cas, je ne vais pas réussir à fermer l'œil de la nuit, déclara Perle en fourrant la clé dans sa poche. Ce qui nous arrive est le truc le plus génial que j'aie jamais vécu !

Quelque temps après le départ de Perle, Papi Isaac rentra du club des seniors.

– Alors, qu'est-ce que tu as trouvé à faire ? demanda-t-il à son petit-fils.

– Oh, rien... J'ai traîné avec Perle.

– Perle ? La canaille ? Eh bien, je suis content que tu te sois fait une copine. Nous aussi, au club, nous nous sommes bien amusés ; c'était un chouette jour des anniversaires, dit Papi Isaac en tendant à Ben une part de gâteau. Mais... tu as du *shmuts* sur le *pounim*...

– Quoi ?

Papi Isaac fronça les sourcils.

– Ton père ne t'a pas appris à parler yiddish ? Ça signifie : « Tu as de la saleté sur le visage. »

Du bout du doigt, il indiqua la joue du garçon, que celui-ci essuya avec sa manche. La saleté en question était un morceau de coquille de gland.

– Et qu'est-ce que tu as prévu de beau pour demain ? enchaîna Papi Isaac. Une autre journée à traîner ?

– Oui.

Ben sourit. Il mit les mains dans ses poches, et ses doigts rencontrèrent la touffe de poils bruns. Le lendemain ne serait pas un jour ordinaire ; ça, c'était sûr. Parce que, le lendemain, pour la première fois, la réalité dépasserait toutes les histoires que Ben pouvait imaginer.

Le lendemain, il allait partir à la chasse au yéti.

14

Comité d'accueil et chariot rouge

Ben fut réveillé par des bruits en provenance de la cuisine. Les portes des placards claquaient, les assiettes tintaient, la cafetière gargouillait.

Il repoussa l'édredon, se laissa glisser au sol et regarda sous le lit. Le kit spécial capture de yétis était bien là, au milieu d'un troupeau de moutons de poussière.

– Petit déjeuner ! cria Papi Isaac.

Ben poussa le coffret plus profondément sous le sommier. Son plan, c'était d'avaler son petit déjeuner aussi vite que possible, et de foncer chez Perle tout de suite après.

– Alors ? lui demanda son grand-père, qui versait du lait dans son bol de céréales au chocolat. Est-ce que vous voulez venir au club des seniors, Perle et toi ? Tous mes copains ont envie de rencontrer mon petit-fils à l'imagination si débordante ! Et aujourd'hui, c'est le jour du flan. Franchement, il n'y a rien de meilleur ; tu ne trouves pas ?

– Non, merci, répondit Ben en s'asseyant à table.

– Quoi ? Tu n'aimes pas le flan ? Voyons, tout le monde aime le flan !

– Si, j'adore ça ! Mais j'ai rendez-vous avec Perle au bazar ce matin.

Ben versa à son tour du lait dans son bol, et il remplit sa bouche de céréales afin d'éviter de répondre à d'autres questions.

– Bon, eh bien, c'est toi qui décides, grommela Papi Isaac en tapotant la table avec sa cuillère. Après tout, pourquoi irais-tu traîner avec une bande de vieillards quand tu peux le faire avec une fille de ton âge ? Mais sois quand même prudent. Comme je te l'ai dit, cette Perle a tendance à s'attirer des ennuis.

– OK, marmonna Ben, la bouche pleine.

Le grille-pain éjecta deux bagels, et une bonne odeur de pain chaud remplit la pièce.

– Tu veux du fromage à tartiner ?

Au moment où Ben acquiesçait de la tête, on frappa à la porte, et une voix haut perchée retentit :

– Wouhou !

Grand-père Isaac grogna, avant de murmurer :

– Cette voix... Je connais cette voix. On va faire semblant qu'on n'est pas là.

– C'est qui ? demanda Ben, en chuchotant lui aussi.

– C'est Martha Mulberry, la plus grande fouineuse de Boutonville.

Toc, toc, TOC !

– Je sais que vous êtes là, Isaac Silverstein. Allez-vous m'obliger à attendre ici toute la journée ? Car j'attendrai, soyez-en sûr. Je resterai là et je continuerai à frapper à cette porte jusqu'à ce que vous m'ouvriez.

– C'est bon, j'arrive...

Avec un nouveau grognement, Papi Isaac attrapa sa canne et traversa la cuisine en clopinant.

– Bonjour, Martha ! lança-t-il d'un ton joyeux, après avoir ouvert la porte d'entrée. Comme c'est gentil à vous de passer nous rendre visite de si bon matin ! J'étais justement en train de dire à Ben, mon petit-fils, combien j'avais envie de voir Martha Mulberry aujourd'hui à l'aube !

Ben, toujours assis à la table de la cuisine, vit s'engouffrer dans le salon une femme, suivie d'une fillette qui traînait un chariot rouge. Toutes deux portaient des salopettes rouges assorties et des tennis blanches. Elles avaient sur la tête des casquettes de baseball identiques, avec les mêmes mots brodés sur la visière : *Comité d'accueil.*

– Ben ! appela Papi Isaac. Ramène ton *toches* ici et viens dire bonjour à Mme Mulberry et sa fille.

Le garçon enfourna une nouvelle cuillerée de céréales au chocolat dans sa bouche – il avait besoin de faire le plein d'énergie avant de partir à la chasse au yéti –, puis il rejoignit son grand-père au salon.

– Bonjour, Ben.

Mme Mulberry avait des cheveux roux frisés, qui débordaient de sa casquette telle une cascade de ketchup.

– En tant que présidente du Comité d'accueil de Boutonville, il est de mon devoir de venir saluer les nouveaux arrivants avec le « chariot de bienvenue », afin de les accueillir officiellement dans notre ville.

Elle serra la main du garçon, avec un sourire qui dévoilait entièrement ses gencives.

– Bonjour, répondit Ben, après avoir avalé ses céréales.

– Et voici Victoria, ma fille.

Cette dernière fronça les sourcils en serrant la main de Ben. Elle le dévisagea à travers ses lunettes aux verres ultra-épais. Sa chevelure rousse était si frisée qu'elle semblait chargée d'électricité statique. Était-ce elle, la fille dont Perle avait parlé, celle qui était incapable de garder un secret ?

– J'avais prévu de venir plus tôt ce matin, enchaîna Mme Mulberry, mais il y a eu un incident avec notre poubelle. A priori, quelqu'un l'a renversée pour s'amuser avec nos déchets.

– Un raton laveur ? hasarda Papi Isaac.

– Non, je ne crois pas, répondit Mme Mulberry. Je n'ai jamais entendu parler de ratons laveurs qui classent les ordures par couleur. Nous avons retrouvé tous les déchets verts dans une pile, les rouges dans une autre, et ainsi de suite. Le même phénomène s'est produit devant six autres maisons de la rue des Cèdres.

– C'est très étrange, commenta Papi Isaac.

Ben se mordit la lèvre. Un passage du *Guide de capture des yétis* lui revint en mémoire : *Ils aiment les puzzles, et adorent ranger les objets par couleur.*

– J'étais sûre qu'il s'agissait d'une blague de gamins, continua Mme Mulberry, mais mon voisin, M. Bumfrickle, a trouvé une gigantesque empreinte de pied dans l'herbe, juste à côté de sa poubelle renversée.

«Une gigantesque empreinte de pied?»

Ben faillit s'étrangler avec sa salive. Il se mit à tousser, et Mme Mulberry lui demanda:

– Qu'est-ce qui t'arrive? Tu es malade?

– Non, non, ce n'est rien.

Il se précipita dans la cuisine pour se servir un verre d'eau. En buvant, il imagina le yéti, agenouillé devant la maison de Mme Mulberry, occupé à trier ses déchets. Il était censé dormir dans la forêt, pas se balader dans Boutonville ! Qu'avait-il fait d'autre pendant la nuit ? Perle et Ben devaient le retrouver au plus vite !

– Ben ! enchaîna alors Mme Mulberry. Victoria et moi avons un cadeau pour toi.

Tandis que le garçon revenait dans le salon, elle se pencha vers le chariot et en sortit une boîte entourée d'un ruban rouge, qu'elle lui tendit en déclarant :

– Bienvenue à Boutonville ! Nous te souhaitons un long et heureux séjour !

– Merci, dit Ben, en posant le paquet sur le canapé. Euh... je suis désolé, il faut vraiment que j'y aille.

Il se dirigea vers la porte d'entrée, mais son grand-père l'arrêta d'un raclement de gorge.

– Ben, sois poli et ouvre ton cadeau, lui conseilla-t-il.

Le garçon fit demi-tour, se laissa tomber sur le canapé, dénoua le ruban rouge aussi vite qu'il put, et ouvrit la boîte. Elle contenait les articles suivants :

- *une place gratuite au Cinéma de Boutonville ;*
- *un sac de clous provenant de la Quincaillerie de Boutonville ;*
- *un magnet sur lequel il était écrit :* LES MEILLEURES AFFAIRES SONT AU BAZAR « TOUT À UN DOLLAR » ;
- *une casquette de baseball portant les mots :* Comité d'accueil ;
- *douze dosettes de ketchup offertes par le Café-restaurant de Boutonville ;*
- *un grand chocolat en forme de bouton, fabriqué par la Confiserie de Boutonville.*

– Merci, balbutia Ben.

Mme Mulberry s'approcha de lui.

– En tant que présidente du Comité d'accueil, il est de mon devoir de tout savoir sur tout le monde à Boutonville. J'ai cru comprendre que tes parents s'étaient débarrassés de toi en t'envoyant passer l'été ici – pourquoi ont-ils fait cela ?

Papi Isaac avait raison : cette femme était une sacrée fouineuse ! Ben n'avait pas du tout envie de répondre à ses questions. Il détourna les yeux et regarda par la fenêtre. Il aperçut Perle, qui arrivait à grands pas, ses cheveux blonds se balançant au rythme de sa marche. Elle avait sans doute terminé ses corvées.

– Papi, est-ce que je peux...

– Tiens, tiens..., signala Mme Mulberry, j'ai l'impression que Perle Petal t'attend, Ben. Je vous ai vus vous promener ensemble, hier. Vous êtes amis ?

– Oui... euh, je crois, bredouilla Ben.

Étant donné les secrets qu'ils partageaient, on pouvait déjà dire que Perle et Ben étaient amis.

– Je n'aime pas Perle Petal, intervint Victoria, dont l'appareil dentaire étincela dans la lumière. Je ne joue jamais avec elle.

– Et tu as bien raison, approuva sa mère, en lui tapotant affectueusement la casquette. Cette fille est une vraie canaille. Isaac, vous devriez interdire à votre petit-fils de la fréquenter.

– Ben n'est pas idiot. Il peut choisir ses amis tout seul.

Papi Isaac adressa un clin d'œil complice à son petit-fils, puis il ouvrit la porte d'entrée.

– C'est très aimable à vous d'être passées, dit-il avec un sourire forcé. Mais je suis sûr que vous avez beaucoup d'autres choses à faire aujourd'hui, et...

– En effet, admit Mme Mulberry en réajustant sa casquette. Quelqu'un a emménagé dans l'ancienne usine de boutons, et il est de mon devoir de me renseigner sur cette personne. Même si je dois passer la journée devant la grille, je découvrirai ce qui se trame là-bas.

– Je suis certain que vous y arriverez, ironisa Papi Isaac. Après tout, il est de votre devoir de tout savoir sur tout le monde...

Victoria attrapa le chariot par sa poignée, et elle sortit à la suite de sa mère. L'engin émit un boucan de tous les diables quand elle le traîna sur les marches du perron. Au passage, elle jeta un regard noir à Perle, qui lui répondit par un coup d'œil de la même couleur. La mère et la fille continuèrent leur chemin dans la rue des Pins, accompagnées par le grincement des roues du « chariot de bienvenue ».

– J'ai cru qu'elles ne partiraient jamais ! soupira Papi Isaac, avant d'empoigner sa canne et de poser son chapeau en toile sur sa tête. Il faut que j'aille au club des seniors pour aider les autres à mettre la table. Le jour du flan, c'est le jour le plus chargé de la semaine. Amusez-vous bien, Perle et toi !

Sur ces mots, il sortit de la maison, souleva son couvre-chef pour saluer Perle et s'installa au volant de sa voiture.

Ben retourna dans sa chambre pour prendre le kit de capture de yétis, qu'il coinça sous son bras. Puis il rejoignit son amie à l'extérieur. Le soleil estival étincelait dans un ciel sans nuage. Barnaby, assis sur le trottoir, examinait une colonie de fourmis. Il en avait écrasé un bon nombre, qui gisaient comme de petites graines. Ben se pencha vers lui, les dents serrées.

– Ne t'approche pas de mon hamster. Sinon, je te donnerai à manger au yéti.

Barnaby ne fit pas le moins du monde attention aux menaces du garçon. Il remua la queue et bondit sur une nouvelle fourmi.

– Les yétis ne mangent pas de chats..., signala Perle. Du moins, d'après le guide...

Puis elle jeta un coup d'œil de chaque côté de la rue.

– J'ai fait mes corvées le plus vite possible pour pouvoir venir ici. Tu ne devineras jamais ce que j'ai découvert...

Elle inspecta à nouveau les alentours et poursuivit :

– Le yéti a forcé la porte du café-restaurant pendant la nuit. Il a dévoré toutes les dosettes de ketchup et vidé toutes les bouteilles de chocolat liquide. Il a laissé une énorme empreinte de pied près de l'entrée.

– Il a aussi ouvert tout un tas de poubelles pour trier les déchets par couleur, rapporta Ben.

Perle retira un élastique de son poignet et accrocha ses cheveux en queue-de-cheval.

– Là, c'est du sérieux ! Il faut qu'on l'attrape avant que quelqu'un le voie. Où crois-tu qu'on devrait chercher en premier ?

– Je ne sais pas trop..., murmura le garçon en haussant les épaules. Mais l'idéal, pour commencer, ce serait de...

Ben ne finit pas sa phrase, car, à cet instant, un hurlement retentit.

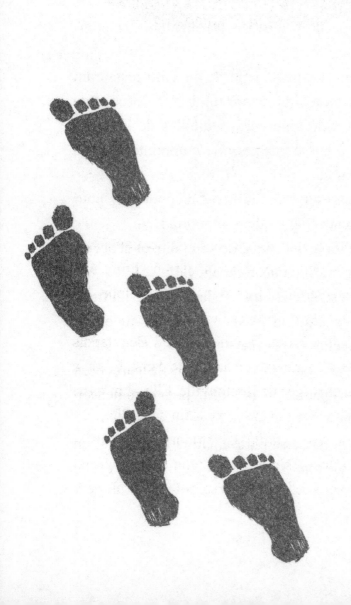

15

On a repéré un babouin!

Ils trouvèrent l'origine du hurlement quelques mètres plus loin, dans la rue des Pins : une dame s'appuyait sur son déambulateur, les yeux dans le vague, le regard vide.

– C'est Mme Froot, expliqua Perle à Ben, tandis que tous deux couraient vers la vieille dame. C'est la personne la plus âgée de Boutonville. Elle ne m'aime pas trop, parce que j'ai cassé son nain de jardin.

– Comment tu as fait ça? s'étonna Ben.

À chacun de ses pas, le contenu du kit spécial capture de yétis remuait dans sa boîte. Il avait peur qu'un mouvement trop brusque ne déclenche la bombe à brouillard.

– C'était un accident, se défendit Perle. Je voulais attraper un nid qui se trouvait dans un arbre de son jardin, pour l'ajouter à ma collection. Mais il était tout en haut. Alors, j'ai grimpé dans l'arbre, et une branche s'est cassée. Je suis tombée pile sur la tête du nain !

Mme Froot était justement dans son jardin, à côté de sa clôture blanche. Des dizaines d'autres nains aux couleurs vives le décoraient. On aurait dit qu'ils avaient poussé là, comme des mauvaises herbes. Le nain décapité était toujours debout sous son arbre, et la vieille dame avait toujours les yeux rivés sur le trottoir, les mains agrippées à son déambulateur.

– Bonjour, madame Froot, dit Perle. Nous vous avons entendue crier.

Pour toute réponse, un son étranglé s'échappa de la bouche de la vieille dame, comme si un mot refusait de se former au fond de sa gorge.

– Y-y-y-y-y-y...

Perle posa la main sur son épaule.

– Vous allez bien ?

Le son émis par la dame s'amplifia :

– Y-Y-Y-Y-Y-Y...

– J'ai l'impression qu'elle essaie de dire « yéti », chuchota Ben à l'oreille de Perle. Elle doit savoir où il se trouve.

– Madame Froot, qu'est-ce que vous avez vu ? l'interrogea Perle en lui tapotant le bras.

– Est-ce que vous avez vu quelque chose de gros et de poilu ? ajouta Ben.

– Oui, oui, bredouilla Mme Froot, les lèvres tremblantes. Y-y-y-y'avait un b-b-b-babouin.

– Un babouin ? s'écrièrent Perle et Ben en même temps.

Mme Froot cligna enfin des paupières. Puis elle prit une longue inspiration sifflante, et ses yeux s'affolèrent, roulant de droite à gauche comme s'ils voulaient se détacher de leurs orbites et s'envoler.

– Un horrible babouin, très gros et très poilu, ici même, à Boutonville. Il a essayé de me manger ! s'exclama-t-elle.

– Vous êtes sûre que c'était un babouin ? s'enquit Ben.

Il était à peu près certain qu'il n'y avait pas de babouins dans la région. Et encore plus que, si Mme Froot avait vu une créature horrible, grosse et poilue, il s'agissait du yéti en cavale. Mais il s'était produit des événements si étranges, ces derniers jours, qu'il avait du mal à ne pas douter.

– Racontez-nous ce qui s'est passé, dit Perle d'une voix douce.

Mme Froot dirigea son regard vers une branche au-dessus de sa tête.

– Je m'apprêtais à aller au club des seniors. C'est le jour du flan, et j'avais envie d'arriver avant que Maybelle ait mangé tous les flans au caramel. Elle mange toujours tous les flans au caramel. Mais j'ai entendu un drôle de bruit, et c'est là que je l'ai vu, assis dans cet arbre.

Ben fit le tour de l'arbre et trouva, sur l'herbe, une grosse empreinte de pied. Juste au-dessus, accrochée à une branche basse, pendait une touffe de poils bruns. Le garçon passa la main dans le gazon pour redresser les brins d'herbe écrasés, puis il s'empara de la touffe, afin de dissimuler les preuves.

– Il a sauté de l'arbre et m'a arraché mon chapeau de paille, raconta Mme Froot en portant la
main à ses cheveux blancs, puis il s'est enfui en
courant vers la rue des Sapins. C'était mon chapeau
préféré.

Ben ne fit pas remarquer à Mme Froot que les
babouins n'étaient pas spécialement connus pour
porter des chapeaux, ni aucun autre vêtement,
d'ailleurs. Si ça lui faisait plaisir de penser qu'un
babouin lui avait volé son chapeau de soleil, tant

mieux pour elle. L'essentiel étant qu'elle n'ait pas compris qu'il s'agissait d'un yéti.

La vieille dame fixa Perle en plissant les yeux.

– C'est toi, Perle Petal, hein ? C'est toi qui as fait ça ?

– Qui ai fait quoi ?

– Qui as mis un babouin dans mon arbre, compléta Mme Froot en agitant l'index sous le nez de la fillette. Tout le monde sait que tu es une canaille, jeune fille. Et je te conseille d'arrêter de t'amuser dans les arbres des gens.

– Ce n'est pas moi ! se défendit Perle. Je n'ai rien fait !

– Je vais tout de même appeler la police, décréta la vieille dame. Il faut que les autorités sachent qu'il y a un babouin en liberté dans Boutonville.

Elle retourna son déambulateur et se dirigea vers sa maison en traînant les pieds.

– Est-ce qu'on ne devrait pas l'en empêcher ? demanda Ben.

– T'inquiète ! le rassura Perle, qui partait déjà de l'autre côté. Les policiers ne la croiront jamais. Tu le croirais, toi, si la plus vieille mémé de la ville te racontait qu'un singe a sauté dans son arbre pour lui voler son bob ?

— Non, admit Ben, en emboîtant le pas à la jeune fille. On dirait un peu une de mes histoires.

— Tu écris des histoires ?

— Je n'en écris pas, j'en raconte.

— Ah... Tu veux dire que tu mens ?

— Je ne mens pas, je raconte des histoires. C'est très différent.

C'était peut-être différent, toutefois son père et sa mère l'avaient tous les deux prévenu que, s'il continuait à «raconter des histoires», plus personne ne le croirait.

— Regarde ! s'écria soudain Perle.

Elle ramassa une touffe de poils bruns sur une bouche d'incendie. Puis ils en trouvèrent une autre, accrochée à un rosier.

— On est sur la bonne voie, se réjouit la fillette.

Un coup de klaxon retentit, et une voiture bleu et blanc s'arrêta le long du trottoir. Les mots *POLICE DE BOUTONVILLE* étaient peints sur les portières.

— Mince, alors ! dit Perle. C'est Tante Milly. Surtout, reste naturel.

« Pas facile d'avoir l'air naturel quand on est en train de chercher un yéti... », songea Ben.

L'agent de police baissa sa vitre.

– Salut, Perle ! Tu me présentes ton ami ?

– Bonjour, Tante Milly, répondit la fillette en dansant nerveusement d'un pied sur l'autre. C'est Ben Silverstein. Il passe l'été ici, chez son grand-père.

– Bonjour, fit Ben.

Milly retira ses lunettes et adressa au garçon un sourire si large qu'il vit toutes ses dents, même celles du bas.

– Ravie de te rencontrer, Ben ! Ton grand-père est un chic type. Il m'a préparé de la soupe aux boulettes quand j'avais la grippe. Alors, qu'est-ce que vous faites de beau, tous les deux ? Pas de bêtises, au moins ?

– Mais non ! souffla sa nièce, en cachant la touffe de poils derrière son dos. On se promène, c'est tout !

Milly considéra la boîte métallique dans les mains de Ben.

– Vous en êtes bien sûrs ? insista-t-elle.

– Sûre et certaine ! confirma Perle.

– Aucune bêtise, renchérit Ben.

166

– Bon, d'accord, céda l'agent de police en remettant ses lunettes sur son nez. Dites, j'ai reçu un appel, il y a quelques minutes : il paraît qu'un énorme chien se balade dans le coin sans laisse. Perle, tu ne serais pas au courant de quelque chose, par hasard ?

– Pourquoi je serais au courant d'une histoire de gros chien qui se balade sans laisse ? demanda Perle d'un ton innocent. Ça n'a rien à voir avec moi...

– Mouais... Disons que ça n'a rien à voir avec toi, *cette fois-ci.*

Milly secoua la tête en grommelant :

– Ma nièce, la plus grande canaille de Boutonville...

Puis elle redémarra et partit.

– Pourquoi tout le monde dit que tu es une canaille ? demanda Ben.

Perle donna un coup de pied dans un caillou, et rentra son tee-shirt à l'intérieur de son short de basket bleu et soyeux.

– Je fais parfois des bêtises, mais jamais exprès. Par exemple, si j'ai mis du colorant dans le bassin de Mme Mutt, c'est parce que je pensais que ça serait joli. Comment j'aurais pu deviner que ça teinterait aussi les poissons ? Et j'ai lâché des souris pendant le défilé de la fête nationale parce que je m'ennuyais. Personne ne m'avait prévenue que les chevaux avaient peur des souris.

Perle et Ben s'arrêtèrent à un carrefour désert. Ils regardèrent autour d'eux, à la recherche d'empreintes ou de poils. Rien.

Ben scruta la rue à gauche, puis à droite. Boutonville était certainement la ville la plus silencieuse de la terre. Pas de klaxon, pas de musique assourdissante, pas de bruits d'avions. Le seul signe de vie alentour, c'était un homme qui passait le balai sur le trottoir devant la Halle aux vêtements de Boutonville.

– Hé, attention ! cria-t-il soudain.

Un caddie venait de débouler dans un grondement de tonnerre et il avait failli le renverser. À présent, le chariot fonçait vers les enfants, en produisant un boucan de plus en plus assourdissant.

– C'est un caddie de notre bazar ! Mais... qui s'est amusé à aller faire un tour avec ? s'écria Perle.

– Beurk ! C'est quoi, cette odeur ? gémit Ben au même moment.

Les deux amis durent bondir sur le côté pour éviter le caddie, qui, entraîné par la pente, accéléra encore. Mais ils eurent le temps de voir deux bras velus qui pendaient de chaque côté, et des genoux poilus ainsi qu'un chapeau de paille qui dépassaient du chariot.

– Le yéti ! s'exclama Ben.

Mais Perle n'était plus là pour l'entendre. Elle s'était déjà lancée à sa poursuite.

16

Un flan velu

Le caddie du Bazar «Tout à un dollar» gisait renversé sur le trottoir devant le club des seniors, à côté du chapeau de paille. La porte d'entrée du club était grande ouverte. Une touffe de poils bruns était accrochée à la poignée.

– Est-ce que tu as la tablette de chocolat avec toi? demanda Perle.

Ben acquiesça en désignant le kit spécial capture de yétis dans ses mains.

– Tu crois qu'on devrait lui donner maintenant?

– On peut au moins ouvrir la boîte. Comme ça, il sentira peut-être l'odeur du chocolat.

Perle saisit la clé et ouvrit le coffret. Elle s'empara de la tablette et commença à déchirer l'emballage, découvrant un carré de chocolat marron et luisant. Ben fut tenté de croquer dedans.

Perle tendit le chocolat devant elle et appela doucement :

– Par ici, petit yéti...

Mais aucune gigantesque créature poilue n'apparut. Au lieu de cela, le crâne chauve de Papi Isaac émergea du club.

– Ben ? Qu'est-ce que tu fais là ? s'étonna le vieil homme en adressant un signe de la main à son petit-fils. Entrez donc, Perle et toi, et venez manger un flan !

Malgré la douceur de cette matinée d'été, le chauffage dans le club des seniors était réglé au maximum. Cette chaleur étouffante donna à Ben l'envie de se rouler en boule dans un coin pour faire la sieste. Il étouffa un bâillement. Ce n'était pas le moment de dormir ! Perle et lui avaient une mission de capture de yéti de la plus haute importance à mener à bien !

Sur trois tables poussées côte à côte reposait un amoncellement de flans dans des coupelles en aluminium. Certaines étaient joliment disposées sur des plats à gâteau, d'autres entassées en une montagne qui atteignait presque le plafond. Vanille, banane, chocolat, caramel... des flans à tous les parfums possibles et imaginables encombraient chaque centimètre carré des tables. Et entre eux étaient coincées de grandes bombes de chantilly et des boîtes de paillettes de chocolat.

– Waouh ! dit Ben en se tournant vers son grand-père. Vous en avez, des flans !

– Tu trouves ? pouffa Papi Isaac. Tu aurais dû voir la salle avant l'arrivée de Maybelle !

D'un mouvement de la tête, il indiqua une dame rondelette assise au fond de la salle. Elle était en train d'enlever l'opercule d'un flan au caramel. Des dizaines de coupelles vides gisaient à ses pieds.

Le reste de la pièce était encombré de tables et de chaises, et chaque chaise était occupée par une personne âgée. Beaucoup d'entre elles avaient un appareil auditif. La plupart portaient des lunettes aux verres très épais. Certaines semblaient avoir plusieurs dizaines d'années de plus que Papi Isaac, et leurs visages étaient ridés comme du papier crépon. Toutes avaient un ou deux flans à la main.

– Tu vois le yéti quelque part ? demanda Perle à l'oreille de Ben.

– Non, chuchota-t-il en retour. Mais je le sens.

Une odeur aigre de chien mouillé flottait dans l'air, mêlée aux parfums sucrés de banane et de vanille. Mais où donc se trouvait cette bestiole ?

Entre les personnes âgées, les conversations allaient bon train, si bien que Papi Isaac dut taper dans ses mains pour se faire entendre :

– Votre attention, s'il vous plaît ! Je vous présente Ben, mon petit-fils !

Les cuillères en plastique se baissèrent, les têtes se relevèrent de concert, dessinant comme une vague de cheveux blancs et argentés. Un chœur de « Bonjour, Ben ! » retentit, en même temps qu'un chœur de « Qu'est-ce qu'il a dit ? ».

– Et, bien sûr, vous connaissez tous Perle, enchaîna Papi Isaac, déclenchant le même chœur

de «Qu'est-ce qu'il a dit?» en même temps qu'un chœur de «Bonjour, Perle!». La plupart des gens qui sont ici ont travaillé toute leur vie à l'usine de boutons, confia-t-il ensuite à Ben.

Ses yeux se posèrent alors sur la boîte métallique que transportait son petit-fils.

– Qu'est-ce que tu trimballes, là?

Il lut l'étiquette :

– *Kit spécial capture de yétis*? Qu'est-ce que vous mijotez, tous les deux?

– Euh...

Ben pensa à inventer une histoire, puis il se ravisa. Même s'il avait disposé d'une heure ou deux pour la peaufiner, aucune histoire n'aurait été à la cheville de la vérité.

– On chasse le yéti, déclara-t-il.

– Et pourquoi Perle agite une tablette de chocolat en l'air?

– Parce que les yétis adorent le chocolat.

– C'est censé être un secret! s'inquiéta Perle à voix basse. Pourquoi tu lui racontes?

– Ne t'inquiète pas ; il va penser que c'est encore une de mes histoires...

Effectivement, Papi Isaac se frotta le crâne en gloussant :

– J'aimerais vivre assez longtemps pour voir un yéti. Ah, mon petit-fils et son imagination débordante !

Puis il le poussa gentiment vers les flans.

– Allez, mange !

À nouveau, la pièce s'emplit du bruit de conversations passionnantes au sujet des prothèses de hanche, des siestes, et de la meilleure façon de nourrir les pigeons. Perle s'empara d'un flan à la banane et commença à le déguster.

– J'adore ces trucs ! se réjouit-elle, avant de donner un petit coup de coude à Ben. Je surveille ce côté-là, et toi, tu inspectes l'autre côté.

Ben prit un flan à la vanille, mais ne le goûta pas. Au lieu de cela, il se mit à humer l'air. Vers le fond de la pièce, l'odeur de chien mouillé était plus forte.

– Hé ! s'exclama soudain un vieil homme. Il y a un poil dans mon flan !

Ben se précipita vers lui. Effectivement, dans sa crème gélatineuse trempait une énorme touffe brune.

Un autre vieillard, assis à côté de Maybelle, ouvrit un flan au chocolat et le tendit sous la table.

– J'ai l'impression que ce chien-chien aime le flan.

– Pourquoi tu gâches nos flans en les donnant à un chien ? s'offusqua Maybelle. Les chiens, ça mange de la nourriture pour chiens, pas des flans pour humains.

– Voyons, c'est un gentil chien-chien, se défendit le vieil homme.

« Un gentil chien-chien ? »

Ben s'agenouilla, souleva le bord de la nappe, et regarda sous la table. La puanteur, aussi violente que si on l'avait giflé avec une chaussette aromatisée à la transpiration, faillit lui faire prendre la fuite.

Là, au milieu d'une pile de coupelles vides, se trouvait une gigantesque paire de pieds poilus.

17

Le jour du brouillard

L e regard de Ben remonta le long de deux jambes poilues, s'attarda sur un torse tout aussi poilu, puis alla se poser sur une paire d'yeux marron. Les yeux, eux, n'étaient pas poilus, bien entendu, mais ils étaient totalement encerclés par les poils. Le yéti était tranquillement installé sous la table. Il fixait Ben en clignant les paupières. Le garçon crut que son cœur allait s'arrêter. Il était face à un yéti vivant et bien réel – une créature censée n'exister que dans les histoires !

La créature ressemblait à moitié à un singe, et à moitié à un homme préhistorique. Des brindilles et des feuilles étaient emmêlées dans son épaisse fourrure. Ses pieds étaient si grands que même des chaussures de clown n'auraient pas été à sa taille. En observant le front bas et le monosourcil de la créature, Ben comprit pourquoi elle avait la réputation de ne pas être très futée. Il se raidit : le yéti allait-il rugir ou montrer les crocs ? Non, il tendit la main, sa paume lisse et brune tournée vers le haut, puis il émit un petit grognement. Il voulait quelque chose.

– Qu'est-ce que... ?

Ben se souvint de l'avertissement du Dr Woo : il fallait éviter de lui poser des questions. Son cœur battait la chamade. Il allongea prudemment le bras pour tendre son flan à la vanille au yéti.

Celui-ci le lui arracha des mains et l'avala en deux coups de langue. Il semblait adorer les aliments sucrés, exactement comme le Dr Woo l'avait écrit dans son guide.

Perle vint s'accroupir à côté de Ben en râlant :

– Je ne le vois nulle part! Comment un yéti de 200 kilos peut disparaître comme ça? Et, au fait, tu regardes qu...? WAHOU!

Elle poussa les coupelles vides qui recouvraient le sol, et se faufila entre la chaise de Maybelle et celle de son voisin, pour mieux voir. Puis elle avança la main et toucha la jambe du yéti, qui ne sembla pas en être dérangé. Ben n'en revenait pas qu'elle ait osé faire une chose pareille! Était-ce du courage ou juste une curiosité maladive?

– Les vieux croient que c'est un chien, lui dit-il tandis que l'homme tendait un autre flan sous la table. Je pense qu'ils ne voient plus très bien...

Perle sourit.

– Un chien ?

Puis elle explosa carrément de rire.

– C'est la chose la plus drôle que j'aie jamais entendue !

– Tu rigoleras moins quand ils auront découvert que ce n'est pas un chien, grommela Ben. Comment on va faire pour le sortir d'ici ?

Le yéti rota, puis émit un grand reniflement. Alors, ses yeux marron se posèrent sur la tablette de chocolat que Perle avait toujours à la main. Elle l'agita.

– Tu la veux ?

– Ne lui pose pas de questions ! la rabroua Ben.

S'ils énervaient le yéti, les choses deviendraient *vraiment compliquées*. Il l'imagina semant la terreur dans le club, et les personnes âgées fuyant en poussant des hurlements.

– Donne-lui un morceau de chocolat, conseilla-t-il à Perle.

Cette dernière cassa un carré et le lança. Le yéti l'attrapa au vol, le dévora et grogna à nouveau.

Puis il changea de position, se mit à genoux, et commença à avancer vers les deux enfants.

– Le Dr Woo avait raison, dit Perle. On peut l'attirer avec du chocolat.

Elle agita à nouveau la tablette.

– Par ici, petit yéti...

La créature sortit de sous la table à quatre pattes. En essayant de se faufiler entre les chaises, elle bouscula Maybelle, dont les chaussures orthopédiques se retrouvèrent en l'air. Ben bondit pour aider la vieille dame à se relever, mais elle était trop lourde.

Perle, de son côté, ne perdit pas une seconde. Elle recula rapidement, agitant la plaque de chocolat tout en naviguant entre les tables des seniors, qui continuaient tant bien que mal à bavarder et à manger leurs flans. Le yéti la suivait, renversant les personnes âgées sur son passage, comme un chien dans un jeu de quilles. Des chaises volèrent, mais aussi des flans et des cuillères, des lunettes, des perruques et même un dentier. Partout retentissaient des «Holà!», des «Au secours!» et des «Saperlipopette!».

Depuis l'autre bout de la pièce, Papi Isaac interpella son petit-fils :

– Qu'est-ce que c'est que ce bazar ? Un chien ?! *Oi vai !* Qui a laissé entrer un chien ?

Ben, lui, était toujours aux prises avec Maybelle.

– Désolé..., lui dit-il, même si la vieille dame n'avait pas l'air fâchée de se retrouver la tête en bas.

Elle avait déniché une nouvelle coupelle de flan et en savourait toute l'onctuosité. Le garçon finit par la délaisser pour rejoindre Perle et le yéti, en se frayant un chemin au milieu des bras et des jambes qui s'agitaient dans tous les sens. La fillette était presque arrivée à la porte. Le plan des deux enfants était sur le point de réussir. Mais soudain, Papi Isaac empoigna sa canne et se dirigea droit vers Perle. Le cœur de Ben s'emballa. Il fallait qu'il crée une diversion !

Il ouvrit le kit spécial capture de yétis et en sortit la bombe à brouillard. À quoi servait-elle ? Il n'y avait pas de notice, et même s'il y en avait eu une, Ben n'aurait pas eu le temps de la lire. Sans doute servait-elle à faire du brouillard ? Étant donné son nom, ça paraissait logique. Le garçon saisit le cordon qui dépassait de la balle verte. Était-ce bien prudent de déclencher la bombe à brouillard à l'intérieur d'un bâtiment? Peut-être que oui... peut-être que non... Des gouttes de sueur se formèrent sur la nuque de Ben.

Le yéti avait repéré quelque chose sur le sol, qu'il s'était mis à lécher. Perle sautait comme un cabri en agitant sa tablette de chocolat. Papi Isaac se rapprochait inexorablement...

Ben n'avait pas décidé de tirer sur le cordon. Il était encore en plein débat intérieur: ne serait-il pas dangereux de dégoupiller une bombe à brouillard à l'intérieur d'une pièce, une pièce remplie de personnes âgées de surcroît? Mais il avait peur, et parfois la peur fait réagir le corps avant que le cerveau ait dicté quoi que ce soit. Donc, ses doigts tirèrent sur le cordon.

– Oups! murmura-t-il, tandis qu'une nappe de brouillard jaillissait de la balle verte et s'élevait vers le plafond.

Elle envahit la pièce en quelques secondes, noyant le club des seniors dans un banc de brume. Une bruine légère se posa sur le visage de Ben. Une odeur de brise marine envahit ses narines. Il ne manquait plus que le son d'une corne de brume au loin...

Papi Isaac avait disparu, comme tout ce qui l'entourait. Y compris Perle et le yéti.

Un brouhaha de voix retentit :

– Henriette ? T'es où, Henriette ?

– J'vois plus rien ! Pourquoi j'vois plus rien ?

– Est-ce que c'est un rêve ?

– C'est pas un rêve, c'est du brouillard.

– Henriette ? T'es où, Henriette ?

– C'est le jour du flan, pas le jour du brouillard !

– Où je suis ?! Je suis perdu !

– Henriette ? Je t'aime, Henriette !

– Ben ?

Cette fois, c'était la voix de Perle, qui provenait du plancher.

– On y voit plus clair en bas !

Ben se mit à genoux. En effet, le brouillard flottant à cinquante centimètres au-dessus du sol, le garçon avait une meilleure visibilité dans cette position. Il rampa en poussant le kit devant lui. Le temps qu'il atteigne la sortie, la fillette et le yéti étaient déjà dehors.

– Ouf, on a bien failli se faire prendre ! souffla-t-il en fermant la porte derrière lui.

Il s'attendait à ce que Perle s'écrie quelque chose du genre : « Wahou ! C'était bien joué, le coup de la bombe à brouillard ! », mais elle ne dit rien. Elle resta là sans bouger, le cou tendu vers le ciel, les yeux hagards. Le yéti, qui paraissait immense à côté d'elle, regardait, lui aussi, vers le haut.

Ben se releva lentement. Cette fois, il ne se demanda pas quelle sorte d'oiseau traversait le ciel. Cette fois, il ne se sentit pas idiot de penser qu'il s'agissait d'un dragon. La créature décrivit quelques cercles avant de plonger derrière les arbres.

– Il va à l'usine, devina Perle.

Le garçon observa le yéti ; c'était la première fois qu'il le voyait debout.

– Comment va-t-on lui faire traverser la ville sans que personne le remarque ? s'interrogea-t-il. On n'avait qu'une seule bombe à brouillard.

– Je ne sais pas... Il est gigantesque !

Bizarrement, Ben n'était pas effrayé par l'énorme bête. Peut-être parce qu'elle ne lui jetait pas des regards furieux en grognant. Ou peut-être parce

qu'elle se grattait un pied en gémissant. Ensuite, elle se gratta l'autre pied.

— M. Chabott a dit que le Dr Woo soignait le yéti parce qu'il a des verrues, rappela le garçon. Il a sûrement besoin d'un médicament ou d'une pommade.

Soudain, le hurlement d'une sirène retentit. Le yéti se boucha les oreilles, et Ben jeta un coup d'œil sur le côté du bâtiment. Du brouillard s'échappait par la porte du club des seniors, et une voiture de police se garait le long du trottoir. Une femme avec des lunettes noires en sortit.

— C'est ta tante Milly, chuchota Ben.

— Il faut qu'on se tire d'ici ! répondit Perle, avant de lever les yeux vers le yéti : On va te ramener chez toi. Est-ce que tu...

— Ne lui pose pas de questions ! la coupa Ben.

— Ah oui, c'est vrai...

Elle détacha un autre carré de chocolat.

— On peut couper par la forêt. Comme ça, on a peu de chances de croiser des gens.

Et elle lança le carré au yéti, qui l'avala d'un coup.

— Allons-y !

18

Les dangers de la forêt

— **P**arfois, je me balade à vélo par ici, raconta Perle, qui ouvrait la marche sur un sentier envahi par les mauvaises herbes. Ce chemin mène directement à l'usine.

Pour Ben, qui avait passé presque toute sa vie dans une grande ville au bord de la mer, la forêt était un endroit effrayant. Le soleil à travers les feuilles projetait des ombres inquiétantes. Des bruissements étranges émanaient de la cime des arbres. D'après le guide du Dr Woo, les yétis vivaient dans la forêt ; à présent, le garçon comprenait pourquoi : lorsqu'elle se tenait immobile, la gigantesque bête ressemblait à un tronc d'arbre et se fondait parfaitement dans le décor. En revanche, à ce moment précis, on ne pouvait pas rater cet immense yéti suivant une fillette qui lui lançait des sucreries.

– Vas-y doucement sur le chocolat ! conseilla Ben à Perle. Il faut faire durer la tablette jusqu'à ce qu'on arrive.

– Je sais, je sais..., souffla la fillette en donnant malgré tout un nouveau carré au yéti, qui, forcément, semblait ravi de trottiner derrière elle.

Ben commençait à s'habituer à sa puanteur, comme il s'était petit à petit habitué à celle des crottes de son hamster.

– Il y a un truc que je ne comprends pas..., murmura-t-il. Si cette créature vit dans le Monde Imaginaire, comment est-elle venue jusqu'ici ? Ça se trouve où, le Monde Imaginaire ?

– Il faudra qu'on pose la question au Dr Woo quand on la verra.

– Tu crois qu'on va la rencontrer ?

– Évidemment! On a retrouvé le yéti. C'est la moindre des choses de nous remercier. Peut-être même qu'elle nous donnera une super récompense! Sur ces mots, Perle s'arrêta net. Le yéti s'arrêta net. Ben, qui se demandait quel genre de super récompense le Dr Woo pourrait leur donner, fonça dans les énormes jambes du yéti.

– Qu'est-ce qui...

– Chut! souffla Perle, en posant un doigt sur ses lèvres.

– Chut! répéta le yéti, en posant un énorme doigt sur ses énormes lèvres.

Ils avaient atteint la route qui marquait la fin de la forêt. De l'autre côté, ils aperçurent une grille en fer forgé. Derrière elle se dressait l'ancienne usine de boutons. Et devant, il y avait un chariot rouge et deux personnes habillées de salopettes et de casquettes de baseball de la même couleur.

– Oh, non! chuchota Ben. C'est cette horrible dame et sa fille!

– Martha et Victoria Mulberry, confirma Perle.

Elle serra les dents. Le portail était fermé par un cadenas, et les Mulberry guettaient à travers les barreaux. Au fond du chariot reposait un paquet emballé et surmonté d'un gros nœud rouge qui étincelait sous la lumière du soleil. Victoria bâillait pendant que sa mère faisait les cent pas en consultant régulièrement sa montre.

– Quelqu'un va bien finir par sortir ou entrer ! maugréa Mme Mulberry. Je veux rencontrer ce docteur... Docteur...

– Woo, compléta Victoria, en montrant du doigt le panneau accroché au portail.

– Je veux être la première à la rencontrer. En tant que présidente du Comité d'accueil de Boutonville, il est de mon devoir de tout savoir sur cette femme. C'est ma mission.

– C'est un docteur pour vers de terre, lâcha Victoria en indiquant à nouveau le panneau.

– J'ai vu, répondit sèchement sa mère. Je sais lire, merci ! Ce n'est pas ça que je veux savoir. Je veux savoir d'où elle vient. Je veux savoir combien de temps elle compte rester ici. Et surtout, je veux savoir quels sont ses secrets. Ses secrets les plus intimes.

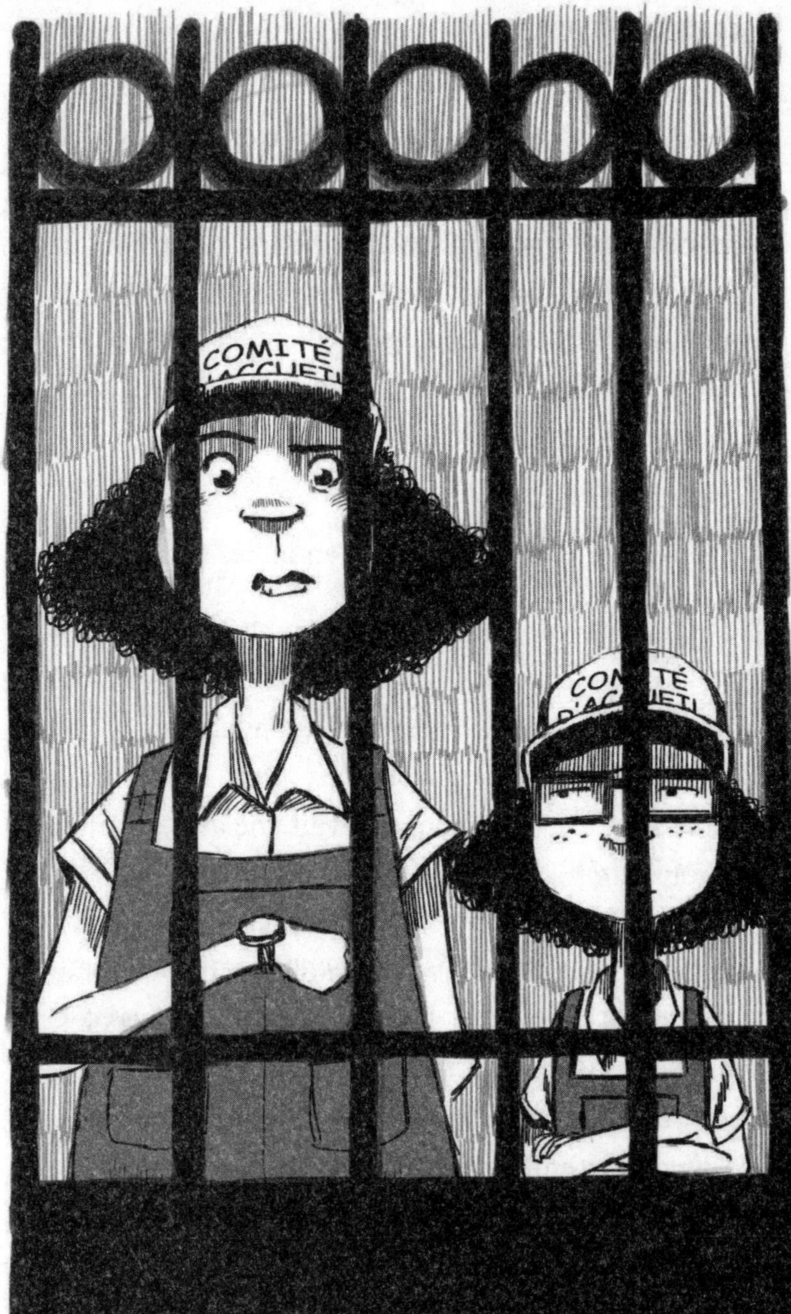
COMITÉ
COMITÉ

– Tu es la plus forte pour découvrir les secrets des gens, Maman. À Boutonville, personne n'est capable de découvrir un secret plus vite que toi.

– C'est bien vrai, ça ! se réjouit Mme Mulberry, qui coinça ses pouces dans les bretelles de sa salopette et gonfla fièrement la poitrine. Je peux flairer un secret à des kilomètres à la ronde !

Les enfants s'étaient cachés derrière un buisson pour observer la scène.

– Mince ! chuchota Perle. Si Mme Mulberry voit le yéti, toute la ville sera au courant. C'est la plus grande pipelette de la planète. Comment va-t-on faire pour passer discrètement devant elle ?

– Je ne sais pas, répondit Ben. Ça paraît impossible. Si seulement on avait une autre bombe à brouillard !

À cet instant, le yéti voulut écraser une mouche avec son pied, et fit craquer une branche. Victoria se retourna d'un coup et scruta la forêt à travers les verres ultra-épais de ses lunettes.

– Aïe ! murmura Ben. Je crois qu'elle nous a vus.

Les deux enfants attrapèrent chacun un bras du yéti et le poussèrent derrière un arbre. La créature

en profita pour arracher le dernier morceau de chocolat de la main de Perle, et l'avaler sans même
avoir ôté l'emballage.

– Maman ? Tu as entendu ça ? demanda Victoria,
en plissant les yeux.

– Évite de me déranger quand je surveille une
porte d'entrée, ma chérie.

– Mais il y a quelque chose dans la forêt.

– Quoi ?

– Je ne sais pas ; ça avait l'air gros et poilu.

– Est-ce que c'était le Dr Woo ? WOUHOU ! DOC-
TEUR WOO, EST-CE QUE C'EST VOUS ?

– Et je crois que j'ai vu Perle Petal, ajouta
Victoria.

À ces mots, Mme Mulberry, furieuse, arracha sa
casquette d'un geste brusque. Ses cheveux frisés se
dressèrent sur sa tête.

– En tant que présidente du Comité d'accueil, il
est de mon devoir d'empêcher que cette canaille de
Perle Petal découvre les secrets du Dr Woo avant
nous !

La fillette, cachée derrière l'arbre avec Ben et le
yéti, vit les deux Mulberry approcher.

– Elles viennent par ici ! Qu'est-ce qu'il y a d'autre, dans le kit ? La fléchette hypodermique... elle ne pourrait pas nous être utile ?

– On ne peut pas utiliser ça sur un humain ! objecta Ben. *(Non, vraiment, ça n'aurait pas été bien, n'est-ce pas ?)* En plus, on n'a qu'une fléchette, et elles sont deux. Tout ce qu'il nous reste, c'est le filet.

Perle eut un sourire diabolique.

– Le filet ?

Ben posa le kit spécial capture de yétis sur le sol et l'ouvrit. Avec le filet, il y avait un mode d'emploi.

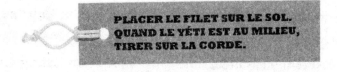

PLACER LE FILET SUR LE SOL.
QUAND LE YÉTI EST AU MILIEU,
TIRER SUR LA CORDE.

Ça paraissait plutôt facile. Sauf que Martha et Victoria Mulberry étaient des êtres humains, pas des yétis.

– Euh... Perle, je ne crois pas qu'on devrait faire ça. Et si Mme Mulberry se fâche ?

– Ah ça, elle va se fâcher, c'est sûr! Mais ça n'a pas d'importance. On a un yéti à sauver, tu te rappelles?

Ils levèrent en même temps les yeux vers le yéti. Il avait attrapé le guide du Dr Woo et le feuilletait avec ses gros doigts. Il poussa un petit grognement et montra un dessin.

– Oui, oui! On dirait toi! acquiesça Perle.

Le yéti émit un nouveau grognement. Quand il souriait, on voyait ses dents jaunes tachées de chocolat. Perle murmura à l'oreille de Ben:

– Il ressemble à un énorme nounours.

– Pas du tout! gémit Ben.

La dernière chose qu'il aurait mise dans son lit, c'était bien cette gigantesque bête à la fourrure puante et aux pieds couverts de verrues!

Perle tendit la main pour libérer un scarabée coincé dans les poils du yéti, puis elle lui parla comme à un bébé:

– Tu es un gentil yéti. Oui, un très gentil yéti, et on ne va pas laisser ces méchantes Mulberry t'attraper. Oh que non!

Ben haussa les épaules.

– Wouhou?! cria Mme Mulberry, plus proche que jamais.

Le garçon empoigna le filet et prit une longue inspiration. Ses parents seraient furieux s'ils apprenaient qu'il avait attrapé la présidente du Comité d'accueil de Boutonville et sa fille dans un filet. Seulement, c'était bien vrai : sauver le yéti semblait un million de fois plus important que tout le reste. Alors, Ben passa la main autour du tronc et jeta le filet sur le sol. Il empoigna le cordon et retint sa respiration, tandis que Mme Mulberry et Victoria s'engageaient sur le sentier qui menait à la forêt.

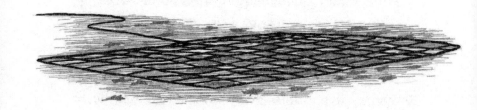

19

Un retour au poil!

Dès qu'elle pénétra dans la forêt, Victoria se pinça le nez.

– Ça sent mauvais, ici!

– Est-ce que tu vois le Dr Woo?

Mme Mulberry mit ses mains en porte-voix.

– WOUHOU! DOCTEUR WOO! NOUS AVONS UN CADEAU POUR VOUS!

Si l'une d'elles avait baissé les yeux, elle aurait aperçu le filet. Ben n'avait pas eu le temps de le recouvrir de feuilles pour le cacher. Mais, comme elles étaient trop occupées à guetter le Dr Woo, elles foncèrent droit dans le piège. Ben tira sur la corde d'un coup sec, et les bords du filet se replièrent autour des deux Mulberry.

– Maman?! s'écria Victoria. Qu'est-ce qui se passe?

– Je ne sais pas... Un tremblement de terre?

Puis le filet se referma sur elles.

– Maman! On est tombées dans un piège!

– À l'aide! À l'aide!

Victoria tenta de se débattre. Elle perdit sa casquette et se coinça le pied dans une maille. Mme Mulberry s'agita à son tour. Elle aussi se

coinça le pied dans une maille, et les fit toutes deux tomber à la renverse.

– Maman ! Où sont mes lunettes ? Je ne vois plus rien !

– Moi non plus, je ne vois rien : j'ai tes cheveux dans la figure.

Pendant que les Mulberry tentaient de se mettre debout, Ben et Perle attrapèrent les bras du yéti et tirèrent de toutes leurs forces pour le faire avancer.

– Maintenant !

Mais le yéti ne bougea pas d'un pouce.

– Je n'ai plus de chocolat, se désola Perle. Il nous faut une autre sucrerie.

– Victoria ! Arrête de mettre ton coude dans mon oreille !

– Je n'y peux rien, Maman ! Sans mes lunettes, je ne sais pas où sont tes oreilles !

– Pousse-toi, Victoria ! Tu m'empêches de respirer !

– Je ne peux pas me pousser, Maman. Je suis coincée dans un filet.

Il n'y avait pas une minute à perdre. Ben traversa la route en courant et se précipita sur le chariot des

Mulberry. Il déchira l'emballage du cadeau de bien-venue, tout en priant pour que ce soit le même que le sien. Il farfouilla parmi les objets contenus dans la boîte – la place de cinéma, le sac de clous... – et finit par trouver ce qu'il cherchait : le chocolat en forme de bouton, provenant de la Confiserie de Boutonville. Il retira l'enveloppe en aluminium et tint la friandise bien haut au-dessus de sa tête.

– Par ici, petit yéti...

Avec un grognement de joie, la créature sortit de la forêt. Elle se dirigea vers le garçon d'un pas lourd, les mains tendues en avant. Perle ramassa le kit et se rua vers l'usine.

– Elles n'ont rien vu ! C'est la chose la plus marrante que j'aie jamais faite ! Viens, allons piéger quelqu'un d'autre !

Ben cassa un morceau du bouton en chocolat et le lança doucement en direction du yéti. Il s'apprêtait à dire à Perle qu'il n'était pas sûr que piéger les gens soit une bonne idée, quand une voix retentit derrière lui :

– Excellent travail !

Le garçon sursauta. Était-ce le yéti qui avait parlé ?! Puis un tintement attira son attention de l'autre côté du portail : c'était M. Chabott, qui secouait les clés du cadenas.

– Je constate que le guide du Dr Woo vous a été utile, ajouta-t-il en ouvrant la grille.

Ben agita le bouton en chocolat dans les airs, et le yéti le suivit, non sans s'être emparé au passage du cadeau de bienvenue. Dès que Perle eut franchi le portail, elle aussi, M. Chabott le referma. Depuis la forêt, on entendait Mme Mulberry crier :

– À l'aide ! À l'aide !

– Il faudrait que quelqu'un aille les libérer, fit remarquer Ben.

– Je vais passer un appel anonyme à la police pour les informer que deux individus ont besoin de leurs services, répondit M. Chabott en remontant l'allée centrale. Rentrons vite, avant que quelqu'un d'autre n'arrive !

Ils eurent assez de chocolat pour attirer le yéti jusque dans l'usine. Quand tous furent en sécurité à l'intérieur, M. Chabott remit en place le verrou rouillé.

– Doux Jésus, quelle matinée angoissante !

Il prit la boîte en métal, dans laquelle il restait la fléchette hypodermique, la sarbacane, le guide et le sifflet, et la posa dans un coin. Le yéti était penché en avant, occupé à se gratter les pieds.

– Tu as été un très vilain yéti ! le réprimanda M. Chabott. Monte tout de suite dans ta chambre ; c'est l'heure de ton médicament !

Sur ces mots, l'assistant du Dr Woo appuya sur le bouton d'un ascenseur. Les portes s'ouvrirent avec un bruissement, et le yéti entra dans la cabine. Tenant le cadeau de bienvenue dans une main et le bouton en chocolat dans l'autre, il adressa un signe d'adieu aux enfants, qui le saluèrent en retour. Ben se demanda ce que la créature comptait faire avec le sac de clous, la place de cinéma, le magnet du Bazar « Tout à un dollar », et le reste...

M. Chabott sortit sa Calculacréature.

– Yéti retrouvé ! déclara-t-il en appuyant sur les touches.

Le haut-parleur fixé en haut du mur grésilla, puis une voix nasillarde en sortit :

«CODE D'URGENCE DÉSACTIVÉ. CODE D'URGENCE DÉSACTIVÉ. LE YÉTI A RÉINTÉGRÉ LA CLINIQUE.»

Perle et Ben poussèrent un soupir de soulagement en échangeant un grand sourire. Ils avaient réussi !

– Parfait. Vous pouvez partir, à présent, conclut M. Chabott avec un geste dédaigneux.

Quoi ? Partir ? L'aventure était donc terminée ? C'était comme ça qu'elle se finissait ?

Les épaules de Ben s'affaissèrent.

– Attendez une minute, protesta Perle. On vient de vous rendre votre yéti, et ça, sans que personne ne le voie. On mérite bien une récompense, non ?

– Une récompense ?

Un grognement sourd fit vibrer la gorge de M. Chabott. Ben se sentit devenir rouge comme une pivoine.

– Euh... non, non, on n'a pas besoin de récompense. C'est à cause de moi si le yéti s'est échappé... C'est ma faute...

– Peut-être, mais ce n'est pas la mienne, objecta Perle, en posant les poings sur ses hanches et en fixant M. Chabott droit dans ses pupilles en forme de demi-lune. Écoutez, je ne suis pas stupide. Je *sais* que cet endroit n'est pas une clinique pour vers de terre. Je *sais* qu'un dragon vit sur le toit de l'usine. Et je suis au courant pour le bébé vouivre et le yéti... Alors, je voudrais rencontrer le Dr Woo. Ça pourrait être ça, ma récompense...

Elle s'interrompit pour donner un coup de coude à Ben.

– *Notre* récompense.

– Impossible ! décréta M. Chabott. Le Dr Woo ne parle à personne. Elle est...

Le haut-parleur grésilla de nouveau avant de diffuser une voix douce et posée :

– Envoyez-les dans mon bureau.

20

Le Dr Woo

Le yéti était dans sa chambre depuis longtemps, mais l'ascenseur empestait encore.
Ben tapotait nerveusement du pied tandis
que Perle et lui s'élevaient vers le deuxième étage.
«Tournez à gauche en sortant de l'ascenseur, leur
avait indiqué M. Chabott. Le bureau du Dr Woo
est au bout du couloir. N'ouvrez aucune porte sur
le chemin. Vous devez me promettre de respecter
cette interdiction.»

Les deux enfants avaient promis, puis s'étaient
mis en route.

Le deuxième étage était dépourvu de fenêtres, et il n'y avait aucune ampoule au plafond. Seul un rai de lumière, provenant d'une porte entrouverte au bout du couloir, éclairait les lieux.

– Ça doit être son bureau, murmura Ben.

Perle marchait devant, d'un pas sonore et confiant. Sa queue-de-cheval se balançait en rythme. Les deux enfants passèrent devant plusieurs portes fermées, et Ben se demanda si le yéti se trouvait derrière l'une d'elles. Ou le bébé dragon. Ou une autre créature tout aussi extraordinaire. Mais il avait promis de n'ouvrir aucune porte, alors il enfonça ses mains bien profondément dans les poches de son jean. Ils étaient parvenus au milieu du couloir quand Perle ralentit, puis s'arrêta complètement.

– Mes parents se demandent sûrement où je suis, chuchota-t-elle. Je devrais peut-être rentrer chez moi.

Malgré la pénombre, Ben voyait les yeux de son amie, écarquillés, ronds comme des balles de golf.

– Mais c'est toi qui voulais rencontrer le Dr Woo ! lui rappela-t-il d'une voix éraillée.

– Je sais. Seulement... j'ai un peu peur. Imagine qu'elle soit méchante.

Ben n'avait pas envie d'avouer que lui aussi était inquiet. Un médecin qui travaillait avec des dragons devait être un dur à cuire – peut-être même quelqu'un d'un peu dérangé...

– Tu ne veux pas en savoir plus sur le Monde Imaginaire?

Perle hocha la tête, mais ne bougea pas d'un pouce.

– Allez, viens! dit Ben. On y va ensemble.

Marchant côte à côte, ils arrivèrent bientôt devant la porte entrouverte.

– Entrez, les invita une voix douce.

Un soleil éclatant inondait la pièce, dont les fenêtres donnaient sur un petit lac. L'eau étincelait, et la façade de l'usine se reflétait sur sa surface immobile. Le bureau, lui, était un vrai fouillis, encombré de paniers, de caisses et de cartons. Une imposante table en bois, aux pieds sculptés en forme de dragon, trônait au milieu. Elle était recouverte de livres et de documents. Sur des établis étaient entassés des bocaux en verre remplis de liquides troubles où flottaient des choses bizarres.

Une femme se tenait à côté d'un portemanteau, occupée à déboutonner sa blouse blanche. Quand elle suspendit son vêtement à une patère, des paillettes tombèrent de ses cheveux. Elle débarrassa son cou d'un stéthoscope, qu'elle posa sur le bureau. Puis elle mit les mains derrière son dos, et fixa les enfants du regard.

– Alors, comme ça, vous vouliez me rencontrer ?

Ben avait le souffle coupé. Ce n'était pas du tout ainsi qu'il avait imaginé le Dr Woo. Il se l'était plutôt représentée comme une sorte de superhéroïne. Or, elle n'était pas plus grande que lui – autant dire qu'elle était petite. Elle avait le visage pâle comme la lune, et des yeux en amande noirs comme de l'encre. Elle était très belle, en dépit de cette grosse cicatrice qui lui barrait la joue. Et de cette autre cicatrice qui descendait le long de son cou...

– Bonjour, dit Perle, en donnant un coup de coude à Ben pour qu'il se remette à respirer.

– Bonjour, dit-il à son tour.

– Asseyez-vous, je vous prie.

Les enfants s'installèrent sur une pile de cartons. Le Dr Woo balaya sa jupe d'un revers de main et en fit tomber des paillettes jaunes, puis elle s'assit en face d'eux.

– Je viens juste de rentrer d'une visite à domicile, et je n'ai pas eu le temps de me débarrasser de la poussière de fée.

– De la poussière de fée..., répéta Perle dans un murmure.

Le Dr Woo pianotait distraitement sur son bureau. Il lui manquait un doigt, l'index de la main droite. Ben se souvint du document que Perle et lui avaient signé : ils ne devaient en aucun cas tenir le Dr Woo pour responsable si jamais ils étaient mordus, écrasés, déchiquetés ou atomisés. Était-ce une créature fantastique qui avait arraché un doigt au docteur ?

– M. Chabott m'a dit qu'il vous avait chargés de récupérer le yéti. Il semble que vous ayez réussi cette mission.

– Oui, répondit Ben. Je suis désolé de ne pas avoir verrouillé la porte. C'est ma faute si le yéti s'est sauvé.

– M. Chabott m'a également informée que vous aviez retrouvé le bébé vouivre égaré.

– Oui, le chat de mon grand-père l'avait attrapé et blessé. Je suis désolé pour ça aussi.

– Euh..., intervint Perle. Vous avez bien parlé de *poussière de fée* ?! Ça veut dire que... ça existe, les fées ?

Le Dr Woo ne lui répondit pas. Au lieu de cela, elle étouffa un bâillement.

– Je vous prie de m'excuser. J'ai fait un long voyage, et j'ai besoin de repos, déclara-t-elle en s'adossant à son siège. À quel sujet désiriez-vous vous entretenir avec moi ?

Perle jeta un petit coup d'œil à Ben, qui lui fit un geste d'encouragement. Elle s'avança sur le bord du carton, et balança les questions qui lui trottaient dans la tête avec la cadence d'une mitraillette :

– Qui êtes-vous ? Où se trouve le Monde Imaginaire ? Comment y va-t-on ? Et pourquoi personne ne connaît l'existence de ce monde ? Pourquoi tout le monde dit que les dragons n'existent pas, alors qu'ils existent pour de bon ? Et, s'il y a des yétis et des dragons, est-ce que ça signifie qu'il y a aussi des fées ? Et des licornes ? Parce que j'adorerais voir une licorne pour de vrai. Est-ce que je peux voir une licorne ? C'est quoi, en vrai, les paillettes dans vos cheveux ? Et...

Elle marqua une pause d'une milliseconde avant de conclure :

– Est-ce qu'on peut vous accompagner dans le Monde Imaginaire ?

Là-dessus, elle prit une grande inspiration et ferma la bouche. Un profond silence envahit la pièce. Ben attendait les réponses en trépignant.

Le Dr Woo se redressa enfin sur son siège.

– C'est un véritable défi de garder secrète l'existence de ma clinique, et vous en savez déjà beaucoup plus que vous ne le devriez.

Sa voix douce se fit grave. Une lueur étrange traversa ses yeux.

– C'est un problème, que je ne sais pas comment régler...

Ben bougea nerveusement sur son carton. Perle et lui semblaient dans le pétrin... La jeune femme allait-elle raconter à leurs parents qu'ils avaient semé la pagaille dans le club des seniors ? Et emprisonné les Mulberry mère et fille dans un filet ?

– Vous n'avez pas besoin de le régler, murmura le garçon. On ne parlera de la clinique à personne.

– Promis, renchérit Perle. Ni du yéti.

– Ni du bébé dragon, ajouta Ben.

– Juré, craché !

La doctoresse n'eut pas l'air convaincue par ces ardentes promesses. Ses sourcils étaient froncés, et ses lèvres pincées. Son regard passa de Ben à Perle, puis de Perle à Ben. Ce dernier sourit en espérant passer pour un garçon qui disait toujours la vérité – plutôt que pour un garçon qui avait tendance à inventer des histoires. À quoi pensait le Dr Woo ? Ses yeux se posèrent à nouveau sur Perle, qui lui sourit, elle aussi. Ses dents du bonheur donnaient l'impression qu'un morceau de réglisse était resté coincé entre elles.

Soudain, le Dr Woo appuya sur le bouton d'un appareil posé sur son bureau.

– Monsieur Chabott ? Avez-vous des suggestions quant à l'importante irrégularité dans les règles de sécurité que représentent ces deux enfants ?

Perle et Ben entendirent la voix de l'assistant sortir de l'interphone :

– Nous pourrions demander au dragon de les emporter et de les abandonner quelque part, en haut d'une montagne, par exemple, ou sur une île déserte.

– C'est une possibilité, en effet, acquiesça le Dr Woo. Mais, là-bas, quelqu'un risquerait de leur venir en aide, et ils connaîtraient toujours nos secrets...

– C'est juste. Hummmm...

M. Chabott réfléchit quelques instants en silence. Ben s'apprêtait à promettre de nouveau au Dr Woo qu'ils ne parleraient à personne de la clinique, quand l'assistant reprit la parole :

– Je viens d'avoir une brillante idée : donnons-les au cyclope ! Il est toujours affamé...

– Il y a un cyclope, ici ?! s'écria Perle. C'est trop cool !

Ben n'en croyait pas ses oreilles : Perle était plus intéressée par l'existence d'un cyclope que par le sort qui les attendait – à savoir, être dévorés par le cyclope en question. Le garçon glissa du carton et esquissa quelques pas vers la porte.

– Euh... Je crois qu'on ferait mieux d'y aller...

– Je ne pense pas que les donner à manger au cyclope soit une bonne idée, trancha le Dr Woo. Trop salissant.

– Trop salissant ? bredouilla Ben.

À quelle distance se trouvait l'ascenseur ? S'il partait en courant, parviendrait-il à l'atteindre avant que le Dr Woo ait changé d'avis ?

– Et si les enfants étaient portés disparus, nous risquerions d'être accusés par la police. Il doit y avoir une meilleure façon de régler ce problème.

– Hé ! lança Perle en sautant de son carton. On vous a dit que ce n'était pas la peine de régler le problème. Ben et moi, on a juré de garder le secret. Vous entendez ? On a *juré* !

Une fois de plus, le regard du Dr Woo se promena de Ben à Perle, puis de Perle à Ben. Elle posa les coudes sur son bureau et se remit à le marteler avec ses ongles.

— Je me demande... Je n'ai fait ça qu'une fois, mais je me demande...

Ben recula encore de quelques pas. Il se trouvait à présent dans l'embrasure de la porte, les jambes fléchies, prêt à bondir si les mots « donner à manger à » sortaient à nouveau de la bouche du Dr Woo.

— Monsieur Chabott ?

— Oui ?

— Je crois que j'ai une solution.

Le visage du Dr Woo se détendit tandis qu'elle annonçait :

— Ces enfants me paraissent sympathiques, et ils ont fait preuve d'astuce pour attraper le yéti. Puisqu'ils en savent déjà beaucoup trop, et puisque nous avons besoin d'aide ici...

Elle sourit en concluant :

— ... je vais en faire mes apprentis.

21

Les gardiens
du secret

Quoi ?! hoqueta Perle. Vous voulez
qu'on soit vos apprentis ? Vraiment ? C'est trop cool !

Ben avança de quelques pas dans la pièce.

– Vos apprentis ?

– Tout à fait, confirma le Dr Woo.

– C'est d'accord ! hurla Perle. Je commence
quand ? Tout de suite ?

Un raclement de gorge s'échappa de l'interphone.

– Doux Jésus ! s'écria M. Chabott. Vous voulez vraiment assumer la charge de deux enfants humains ? Ils réclament énormément d'attention, vous savez. Ils n'obéissent pas aux ordres. Et ils sont tellement curieux !

– Je n'assumerai pas leur charge, répliqua le Dr Woo, car c'est vous, monsieur Chabott, qui en serez responsable.

– Tiens donc ?! fit M. Chabott d'une voix glaciale. Du travail supplémentaire... ? Comme c'est *charmant* de votre part, docteur...

Puis plus aucun son ne sortit de l'interphone.

Perle donna un coup de coude à Ben.

– Tu y crois, toi ? On va être apprentis vétérinaires pour créatures imaginaires !

Ben était si excité que ses jambes flageolaient. Apprenti vétérinaire pour créatures imaginaires ? C'était trop beau pour être vrai ! Puis il se rappela la situation, et la déception s'abattit sur lui comme une pluie d'orage.

– Je ne peux pas accepter, murmura-t-il. Je ne suis ici que pour l'été. Après, je devrai retourner à Los Angeles.

– Je ne pars pas, moi ! cria Perle. J'habite ici !
Je ne vais jamais nulle part ! Moi, je peux être
apprentie vétérinaire, c'est sûr !

– Vous pouvez l'être tous les deux, trancha le
Dr Woo. Nous n'avons qu'à commencer par un
stage d'été ; ensuite, nous verrons. Mais vous devez
impérativement obtenir une autorisation parentale.

– Qu'est-ce qu'on va raconter à nos parents ?
demanda Ben.

– Dites-leur que vous allez travailler à la
clinique pour vers de terre du Dr Woo. Vous devrez
vous présenter ici le lundi, le mercredi et le vendredi à 8 heures précises. Et vous pourrez partir
à 15 heures.

Elle ouvrit un tiroir de son bureau, d'où elle
sortit une feuille et un stylo, qu'elle posa devant les
enfants.

– Avant tout, vous devez signer ce contrat de
confidentialité.

Encore un document à signer ? Cette fois, Perle
ne se fit pas prier ; elle obéit immédiatement. Ben,
lui, se pencha sur le morceau de papier et plissa
les yeux.

– C'est écrit en tout petit, fit-il remarquer. Je n'arrive pas à lire un seul mot.

Le Dr Woo poussa le stylo vers lui.

– Il est seulement écrit que vous vous engagez à ne révéler à personne que cet endroit est en réalité une clinique pour créatures imaginaires. Et que tout ce que vous verrez, entendrez, toucherez, sentirez ou goûterez au cours de votre apprentissage devra rester secret.

Ben se laissa quelques instants pour réfléchir. Tout ceci était très excitant, c'est vrai, mais 8 heures, c'était vraiment très tôt ! Il n'avait jamais été du matin – chez lui, il avait besoin de deux réveils pour éviter d'arriver en retard à l'école. Et puis, lundi, mercredi *et* vendredi, ça faisait presque la moitié de la semaine à travailler... Et enfin, il y avait cette histoire d'écrabouillage, de piétinement, d'atomisation...

– Qu'est-ce qu'on devra faire, exactement ? s'enquit-il, les yeux rivés sur le doigt manquant du Dr Woo.

– Tout dépendra des besoins, répondit la jeune femme, tandis qu'un reste de poussière jaune tombait de ses cheveux.

– Allez ! le pressa Perle. Qu'est-ce que tu attends ? Signe ! De toute façon, qu'est-ce que tu veux faire d'autre cet été ? Traîner au club des seniors avec ton papi ?

Ben s'empara du stylo. Avait-il déjà rompu le contrat de confidentialité en racontant à son grand-père que Perle et elle chassaient le yéti ? Mais le vieil Isaac ne l'avait pas cru, donc il n'avait causé de tort à personne. Alors, il se lança et griffonna : *Ben Silverstein.*

Le Dr Woo ramassa le contrat et le rangea dans le tiroir du haut de son bureau. Sa voix et son visage redevinrent graves.

– Je dois vous prévenir que, si vous ne respectez pas ce contrat, les conséquences seront terribles.

Avant que Ben ait pu lui demander des détails à ce sujet, l'interphone sonna, et la voix nasillarde jaillit du petit haut-parleur :

« LE NOUVEAU-NÉ EST PRÊT POUR LE DÉPART. »

– Merci, j'arrive tout de suite.

Le Dr Woo se leva et enfila sa blouse blanche. Le soleil qui entrait à flots par la fenêtre éclairait la cicatrice sur son visage et projetait une ombre qui faisait paraître la jeune femme deux fois plus large qu'elle n'était.

– Vous allez renvoyer le bébé dragon dans le Monde Imaginaire ? demanda Perle. Est-ce qu'on peut le voir avant qu'il parte ?

– Est-ce qu'on peut juste lui dire au revoir ? ajouta Ben.

Le Dr Woo rassembla ses longs cheveux noirs et les noua sur sa nuque. Elle remit le stéthoscope autour de son cou.

– Il ne vaut mieux pas, car les bébés vouivres s'attachent facilement aux humains.

« Dommage », pensa Ben, en se reprochant intérieurement de ne pas l'avoir pris en photo quand il l'avait trouvé, avant d'avoir signé le contrat de confidentialité.

À présent, il ne reverrait plus jamais sa petite tête d'hippocampe.

Comme si elle lisait dans ses pensées, le Dr Woo murmura :

– Dire au revoir est peut-être le plus difficile dans ce métier.

Puis elle escorta les enfants jusqu'à l'ascenseur.

– M. Chabott va vous raccompagner à la grille. Bonne fin de journée !

L'assistant les attendait dans le couloir, une montre de gousset à la main.

– Alors, comme ça, vous allez être apprentis vétérinaires ?

– Peut-être, répondit Ben. Si nos parents sont d'accord.

M. Chabott rangea sa montre dans la poche de son veston.

– Nous sommes samedi, votre apprentissage commencera lundi ; cela vous laisse donc une journée pour obtenir leur autorisation.

– On l'aura ! assura Perle avec un hochement de tête.

– Bien. Il est grand temps de rentrer chez vous. Suivez-moi.

Le gros trousseau de clés de M. Chabott se balançait dans sa main tandis qu'il descendait l'allée, les enfants sur ses talons.

– Comment le Dr Woo s'imagine-t-elle que je vais pouvoir faire mon travail et du baby-sitting en même temps... ? maugréa-t-il.

– On n'a pas besoin de baby-sitter, répliqua Perle, vexée. On est assez grands pour se débrouiller !

– J'espère bien ! Car être apprenti dans la clinique du Dr Woo, ce n'est pas comme avoir un petit job dans une confiserie ou chez un glacier... C'est un travail dangereux, je préfère vous en avertir. Et je n'aurai pas le temps de vous surveiller.

Ben se rappela la flamme émise par le bébé dragon. Elle avait failli lui carboniser le visage ! Le doigt manquant du Dr Woo, ses cicatrices sur la joue et dans le cou lui apparaissaient comme des avertissements écrits en grosses lettres rouges.

– Ce n'est peut-être pas une si bonne idée, finalement, murmura-t-il, retrouvant un minimum de bon sens et songeant que ses parents ne seraient pas ravis s'il revenait chez lui avec un pied en moins ou couvert de griffures.

– Trop tard, rétorqua M. Chabott. Vous avez accepté ce travail, vous avez signé le contrat ; vous ne pouvez plus changer d'avis.

Il leva un sourcil et jeta à Ben un regard glacial.

– À moins que tu n'aies pas de parole? Que tu sois un menteur?

– Je ne suis pas un menteur.

– Ben raconte beaucoup d'histoires, intervint Perle. Mais ce n'est pas du tout la même chose que mentir.

– Des histoires? releva M. Chabott en plissant les paupières. Eh bien, sache que tu n'as le droit de raconter aucune histoire au sujet du Dr Woo. Est-ce bien clair?

Ben acquiesça.

– Bien. Donc, je vous attends ici lundi matin, à 8 heures tapantes, avec l'autorisation de vos parents. Soyez ponctuels.

– Est-ce qu'on doit apporter quelque chose? se renseigna Perle. Un sac à dos ou un panier-repas, par exemple?

Le nez de M. Chabott se remit à remuer...

– Pensez à apporter des pansements. Une grande boîte de pansements.

Sur ces mots, il glissa la main à l'intérieur de son veston.

Il en sortit deux feuilles de papier enroulées et entourées d'un beau ruban.

– Ah, j'oubliais... Vous avez mérité d'obtenir ceci : votre diplôme de chasseur de yéti.

Puis il fit volte-face en leur rappelant encore d'être à l'heure le lundi suivant, et il s'éloigna.

– Regarde ! chuchota Perle à Ben.

Une queue dépassait de la veste de M. Chabott – une longue queue de chat roux. Elle n'apparut qu'un court instant, puis elle disparut, comme si... comme si elle n'était pas réelle.

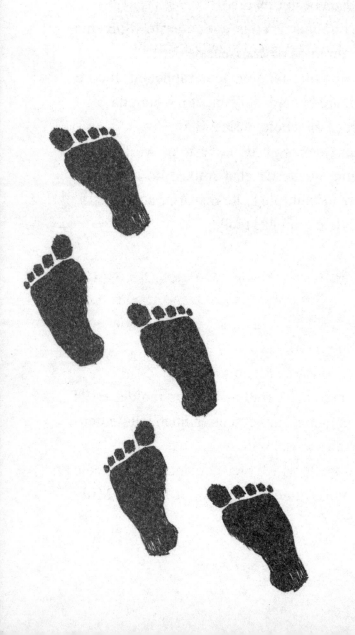

22

La meilleure histoire du monde

— Tu ne crois pas qu'on devrait retourner dans la forêt pour voir si Mme Mulberry et Victoria vont bien? demanda Ben.

– Si, tu as raison, répondit Perle.

Ils traversèrent la route d'un pas rapide, et ils allaient s'engager sur le sentier quand ils entendirent un coup de klaxon.

Une voiture de police bleu et blanc se gara à côté d'eux. La vitre fumée se baissa, et la tante Milly sortit la tête.

– Salut, vous deux ! Qu'est-ce que vous fabriquez ici ?

– Rien, dit Ben.

– Rien, dit Perle.

Ben entrevit son reflet dans les lunettes noires de l'agent de police. Il avait exactement la même tête que ce matin au réveil. Et pourtant, il venait de connaître la plus grande aventure de sa vie ! Cela n'aurait-il pas dû le transformer un peu ?

Milly baissa ses lunettes et fixa les enfants du regard.

– Cette journée a été très bizarre, déclara-t-elle. Un chien errant a mis un bazar de tous les diables dans le club des seniors. Heureusement, il n'y a pas eu de blessés. Vous ne seriez pas au courant de quelque chose, par hasard ?

– Non, répondirent Perle et Ben.

– Et pour le filet dans la forêt, vous n'êtes au courant de rien non plus ?

– Non, répondirent Perle et Ben.

– Eh bien, Mme Mulberry et sa fille Victoria ont été prises au piège dans un filet. Heureusement, elles ne sont pas blessées, raconta Tante Milly,

avant d'apercevoir le papier enroulé dans la main de sa nièce : C'est quoi, ça ?

– On a obtenu un petit boulot à la clinique pour vers de terre, annonça Perle. On y travaillera le lundi, le mercredi et le vendredi.

– Et qu'est-ce qu'on fait, dans une clinique pour vers de terre ? s'enquit Tante Milly.

– On les nourrit, répliqua Ben.

– On les promène, ajouta Perle.

– On les lave, aussi. Des trucs comme ça...

– Et ce super petit job, c'est pour tout l'été ? gloussa Tante Milly. Tant mieux : ça va vous occuper, et ça vous empêchera de faire des bêtises. Allez, montez ! Je vous raccompagne chez vous.

Perle et Ben s'installèrent à l'arrière de la voiture. Alors qu'ils roulaient vers la rue des Pins, Ben songea qu'habituellement il aurait été fou de joie de se trouver dans un véhicule de police. Mais son esprit était rempli d'images beaucoup plus excitantes : le dragon descendant en piqué entre les nuages, le bébé vouivre dans la gueule de Barnaby, le yéti en train de manger un flan à la vanille... et enfin, la queue de chat qui dépassait du veston de

M. Chabott. Oh oui, vraiment, tout ceci était plus intéressant que toutes les histoires qu'il avait jamais imaginées.

– Vous êtes bien silencieux, tous les deux, constata Milly en jetant un coup d'œil intrigué dans le rétroviseur. Vous ne feriez pas des cachotteries, par hasard ?

Les deux enfants échangèrent un sourire.

Quand Ben arriva à la maison, Papi Isaac n'était pas encore rentré du club des seniors. Barnaby était posté sous une mangeoire à oiseaux, guettant les mésanges au-dessus de lui.

Le garçon alla dans sa chambre, ouvrit son tiroir à chaussettes et cacha son diplôme de chasseur de yéti. Ce serait dur, d'attendre jusqu'à lundi. Ben ne pouvait s'empêcher d'imaginer ce qui allait se passer dans la clinique secrète du Dr Woo. Découvrirait-il comment la vétérinaire s'était retrouvée couverte de poussière de fée ? Et à qui – ou *quoi* – étaient destinés les bonbons au kiwi ? Apprendrait-il où se trouvait le Monde Imaginaire ? Ou, mieux... s'y rendrait-il ?

Il sortit Flemmard de sa cage et le berça doucement dans ses mains.

– Je crois que cet été va être incroyable ! lui chuchota-t-il.

Flemmard le fixa de ses petits yeux perçants. Puis il se roula en boule et se rendormit. Ben le reposa bien au chaud dans son nid et ferma la porte de la cage.

«Comme la vie est simple, dans un rectangle de plastique où tout est toujours pareil, songea-t-il. Mais parfois, dans la vie, on a besoin de changements. Parfois, c'est chouette, les changements.»

Ben sourit et fila dans la cuisine pour faire la vaisselle.

Deviens un expert
en Monde Imaginaire!

Les pages qui suivent contiennent des informations sur les créatures fantastiques que tu as rencontrées dans le livre, mais aussi des jeux et des expériences. Amuse-toi à les faire à la maison ou en classe, seul ou avec des copains!

Les créatures
du Monde Imaginaire

La vouivre

Partout dans le monde, on raconte des histoires de dragons. Mais celles qui proviennent d'Asie sont très différentes de celles d'Europe ou d'Amérique.

Les dragons d'Asie ont la réputation d'être sympathiques et bienveillants. Ils ont souvent d'importantes leçons à donner aux humains et vivent en harmonie avec eux. Tuer un dragon est considéré comme un sacrilège.

En Occident, en revanche, les dragons ont l'image de dangereuses créatures cracheuses de feu, qui réduisent en cendres des villages entiers, amassent des trésors, mangent les moutons et les vaches des troupeaux, et parfois même les enfants. Dans la plupart des histoires occidentales, le dragon est confronté à un héros qui doit le mettre à mort pour sauver un royaume ou une demoiselle en détresse. Souvent, le dragon garde jalousement un trésor et tue quiconque essaie de le lui prendre.

Le bébé dragon que Ben trouve dans sa chambre est une vouivre. C'est un type particulier de dragon occidental. La vouivre a deux pattes, alors que les autres dragons d'Occident en ont quatre. Les descriptions de vouivres varient selon les histoires, mais, dans la majorité d'entre elles, leur couleur va du brun terreux au verdâtre. Comme les autres dragons occidentaux, les vouivres ont des ailes et peuvent voler. Dans certains contes, elles font jaillir des flammes ; dans d'autres, elles crachent du poison. On dit souvent qu'elles ont une queue hérissée de pointes, et une tête et un cou ressemblant à ceux des serpents. Selon certains, les vouivres viendraient d'Afrique, et leur nourriture préférée serait les éléphants. Cependant, ce dragon a surtout été populaire en Grande-Bretagne, particulièrement au pays de Galles, durant le Moyen Âge.

À cette époque, les chevaliers se mesuraient dans des combats lors de grands tournois. Comme ils étaient vêtus de lourdes armures et de casques, on ne pouvait pas les reconnaître. Voilà pourquoi ils portaient des étendards et des blasons qui permettaient d'identifier à quelle famille ils appartenaient. Les vouivres étaient souvent utilisées comme symboles sur les blasons ; elles étaient synonymes de force et de férocité.

*

Continue l'histoire

Imagine que tu as trouvé un bébé dragon sur ton lit. Tu décides de le garder, tu le nourris avec des restes et le caches dans ton placard. Jusqu'au jour où tu rentres chez toi et tu découvres que... Invente la suite !

Fabrique ton propre étendard

Imagine que tu es un preux chevalier sur le point de participer à un tournoi. À quoi ressemblera ton étendard ? Fabrique-le en utilisant l'image de la vouivre (attention : la vouivre n'a que deux pattes !) et d'autres symboles de ton choix.

Les créatures
du Monde Imaginaire

Le yéti

Certaines personnes sont convaincues qu'une créature énorme et poilue, qui marche sur deux jambes, sent mauvais et laisse de gigantesques empreintes de pied, vit dans les montagnes. Certains prétendent même l'avoir prise en photo. Mais d'autres n'y croient pas et répondent que ces images sont des trucages. Alors, cette créature existe-t-elle ?

Ce qui est sûr, c'est qu'au cours des siècles, de nombreuses fables ont été inventées au sujet d'hommes et de femmes vivant dans la forêt à l'état sauvage. Dans la plupart de ces récits, ces êtres sont plus grands que des humains normaux, plus poilus, et ils font un peu peur. En Grande-Bretagne, au Moyen Âge, les parents racontaient à leurs enfants l'histoire d'un homme des bois très poilu, le *woodwose*. En Russie, on parlait du *léchi*, le gardien de la forêt et de ses habitants. Au nord-ouest de l'Amérique, il était question d'un homme sauvage appelé le *sésquac*.

Dans cette région du monde, les tribus indiennes racontaient tant d'histoires sur des hommes sauvages qu'un professeur, aux environs de 1920, décida de toutes les rassembler dans un livre. Son nom était J. W. Burns. Jusqu'alors il existait de nombreux noms indiens pour désigner cette créature des bois. Pour plus de simplicité, le professeur Burns n'en utilisa qu'un : *sasquatch*. Puis, en 1950, on trouva de gigantesques empreintes de pied dans le nord de la Californie. Une photo de ces empreintes fut publiée dans le journal *The Humboldt Times*, et c'est ainsi que le terme «Bigfoot» (qui signifie «grand pied» en français) prit la place de celui de *sasquatch*.

En France, enfin, on a gardé le nom «yéti», qui provient des légendes de l'Himalaya, la plus haute chaîne de montagnes du monde, située dans le sud de l'Asie. Voilà pourquoi le yéti est aussi surnommé «l'abominable homme des neiges», et pourquoi ce nom est également utilisé au Népal, en Inde et au Tibet.

*

Continue l'histoire

Imagine que tu vis à une époque très lointaine et que tu es le sorcier de ton village. Tu es assis avec des enfants autour d'un feu ; c'est la nuit, et tu ne veux pas qu'ils aillent dans les bois, où ils risquent de rencontrer des loups ou des ours. Tu vas donc leur raconter une histoire qui les persuadera de rester en sécurité avec toi. Il te vient l'idée d'un récit au sujet d'une étrange créature qui... Invente la suite !

Écris un article

Imagine que tu es journaliste. Tu viens d'apprendre qu'un habitant de ta ville a trouvé une empreinte de pied géante. Tu attrapes ton carnet, ton stylo et ton appareil photo, et tu te précipites sur les lieux. Une fois sur place, tu découvres qu'il n'y a pas que cela... Invente la suite !

Dessine des empreintes

Dessine plusieurs empreintes de pied : celle d'un être humain, celle d'un chat, d'un chien, d'un oiseau, ou d'autres créatures de ton choix, et enfin celle d'un yéti.

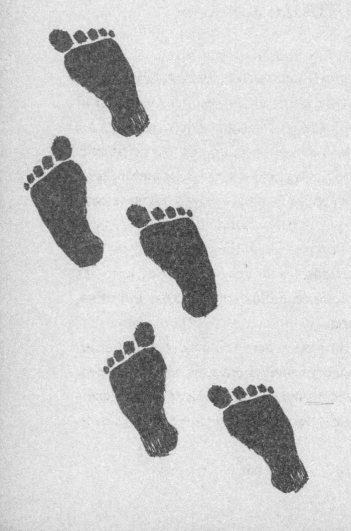

Le coin
des scientifiques

Le lait de dragon

Dans notre histoire, M. Chabott fabrique du
«lait de dragon artificiel». C'est une recette qu'il
a mise au point au fil des ans afin de nourrir les
jeunes dragons en cas de pénurie de viande fraîche.
Mais les dragons sont censés être des reptiles, non?
Et les reptiles ne boivent pas de lait, n'est-ce pas?
Alors, pourquoi le bébé vouivre boit-il du lait?

Dans la famille des reptiles, on trouve les serpents, les lézards, les tortues de mer et de terre, les
alligators, les crocodiles, mais aussi, autrefois,
les dinosaures.

Les reptiles sont des animaux à sang froid.
Contrairement aux mammifères, ils ne maintiennent
pas leur corps à température constante; c'est l'envi-
ronnement extérieur qui la fait monter ou baisser.

Si un reptile veut se réchauffer, il va se faire dorer au soleil; s'il veut se rafraîchir, il se cache sous un rocher ou plonge dans l'eau.

Les reptiles ont le corps couvert d'écailles (les serpents, par exemple), d'une carapace (les tortues), ou de plaques (les crocodiles), et leurs bébés naissent dans des œufs. La plupart du temps, les œufs sont pondus, mais pas tout le temps. La maman couleuvre, par exemple, garde l'œuf à l'intérieur de son corps, et c'est seulement après l'éclosion que le bébé couleuvre sort à l'air libre.

Le bébé couleuvre boit-il du lait? Non.

Le lait est produit par les mammifères, dont les bébés sont incapables de se débrouiller seuls à leur naissance. S'ils n'avaient pas un papa ou une maman pour les nourrir, ils mourraient. Les petits reptiles, eux, sont tout de suite indépendants. Dès l'éclosion, ils s'éloignent de leurs parents et partent seuls chercher leur nourriture. Les reptiles adultes n'ont donc pas besoin de produire de lait pour les nourrir. Une fois l'œuf éclos, ils sont tranquilles!

Cette mise au point étant faite, revenons à notre question: pourquoi le bébé vouivre boit-il du lait?

Les dragons sont des reptiles, certes, mais aussi des créatures magiques, alors les règles habituelles ne s'appliquent pas pour eux. Voilà pourquoi le bébé dragon boit du lait! Et aussi parce que, sans cela, il risquerait de manger les voisins...

*

Test

Une maman serpent et une maman écureuil se retrouvent dans un parc et discutent de leurs bébés. Quelles différences remarquent-elles dans leur mode de vie?

Mets-toi dans la peau d'un bébé dragon

Imagine que tu es un bébé dragon qui vient de sortir de l'œuf. Décris le monde tel qu'il t'apparaît. Quel effet cela t'a-t-il fait de sortir de ta coquille? Quelles sont tes premières occupations...?

Atelier cuisine

Fabrique ton propre flan!

Voici une recette facile de flan aux abricots. Demande à un adulte de t'aider à la réaliser!

Liste des ingrédients:
— 3 œufs
— 1 boîte de lait concentré sucré (410 g)
— 3 cuillerées à soupe de farine
— 1 cuillerée à soupe de beurre
— 8 abricots frais (ou une petite boîte d'abricots au sirop)

1. Préchauffe le four à 180 °C (th. 6). Bats les œufs et mélange-les avec le lait concentré sucré.

2. Ajoute la farine pour épaissir un peu.

3. Beurre le fond d'un moule rond à bord haut (ou d'un plat à gratin) et dispose les abricots dénoyautés coupés en deux. Verse la préparation sucrée et mets au four pendant 30 minutes.

Remerciements

Un grand merci à Michael Bourret, Julie Scheina, Pam Garfinkel, Christine Ma et tous ceux chez Little Brown qui m'ont soutenue pour le lancement de cette nouvelle série. Pour les mots en yiddish, j'ai reçu l'aide de Janine Rosenbaum, documentaliste, et de mon grand ami Gary Pazoff, qui a même téléphoné à son oncle Stew pour vérifier que tout était correct. Les orthographes yiddish variant énormément selon les ouvrages, j'ai choisi celles qui me paraissaient les plus répandues.

Merci à Dan Santat, qui a si bien retranscrit mon histoire dans ses magnifiques illustrations.

Enfin, comme toujours, j'embrasse tendrement Bob, Isabelle et Walker. Merci pour votre amour et votre présence. Merci d'avoir marché sur la pointe des pieds pendant que je travaillais.

Cet ouvrage a été mis en pages
par DV Arts Graphiques à La Rochelle

Imprimé par Black Print CPI (Barcelona)
en mai 2015
pour le compte des éditions Bayard

Imprimé en Espagne